TOUT LE PLAISIR
EST POUR MOI

DU MÊME AUTEUR

Dans la même collection :

SAN-ANTONIO

TOUT LE PLAISIR EST POUR MOI

ROMAN SPECIAL-POLICE

ÉDITIONS FLEUVE NOIR
69, Bd Saint-Marcel - PARIS XIIIe

Les personnages constituant ce remarquable ouvrage sont d'une vérité criante. Toutes personnes qui prétendraient se reconnaître en ces pages d'anthologie seraient purement imaginaires et fictives.

S.-A.

Au docteur Guillotin afin de lui montrer que malgré lui, je n'en fais qu'à ma tête,

S.-A.

CHAPITRE PREMIER

La journée a été rude. Nous avons eu affaire à un client coriace que les torgnoles de Bérurier n'impressionnait pas. Pour essayer de lui arracher un mot, un seul, manière de pouvoir le situer comme baryton ou basse noble, nous avons déployé les multiples ressources de notre imagination. Jugez-en : nous avons eu recours tour à tour : au tire-bouchon à pédale ; à la lampe à souder valseuse ; au presse-purée à musique ; à la jarretelle voleuse ; au brosse-méninges ; au rouleau Raymond ; au suppositoire diabolique ; et au sésame-ouvre-la sans résultat. Tous les menus sévices (chez nous, quand on se met à table, le sévice est toujours compris) ont été lettre morte : l'homme continuait d'afficher « fermeture annuelle » jusqu'à la Saint Trou, dont la fête ne tombe pas ce jour-là, mais sur un os. J'allais sortir mon arme secrète, celle qu'on n'emploie que dans les cas désespérés ; c'est-à-dire lui lire à haute voix tous les articles que M. François Mauriac a rédigés depuis sa sortie de la maternelle jusqu'à sa sortie *du Figaro*, lorsque l'inculpé, trompant notre vigilance, est parvenu à griffonner d'une écriture déliée sur une feuille de papier à cigarette l'avertissement suivant : « Excusez mon silence, suis muet de naissance. » C'était un bel alexandrin qui, nonobstant son rythme harmonieux, expliquait bien des choses.

A la faveur de ce texte concis, nous nous sommes aperçus, mes vaillants boys-scouts et moi-même, que l'inspecteur principal Pinaud avait appréhendé, non pas l'assassin que nous recherchions, mais son voisin de palier, un fort digne homme au demeurant, professeur de langues fourrées orientales à l'Institut des sourds-muets de Bois-Colombes.

En fin de journée, Béru a appris par les Ponts déchaussés qu'on avait repêché dans la Seine (et dans l'intervalle) le cadavre du véritable coupable qui se sentant traqué, a préféré déposer son bilan.

Toutes ces périphéries, comme dit le Gros, m'ont cloqué une migraine de cheval effrayante qu'à mon avis, deux comprimés d'aspirine et un double Scotch sont susceptibles de conjurer.

A l'instant où je me lève pour mettre ces modestes projets à exécution, le bigophone joue le refrain de Dring-dring et je décroche. Le standardiste m'avise qu'une dame est en bas et demande à « m' causer ».

Il relaye ma question jusqu'aux cornets acoustiques de la visiteuse, laquelle fait répondre que c'est personnel. Je vous parie n'importe quoi contre ce que vous voudrez qu'il s'agit d'une admiratrice. C'est inouï le nombre de frangines qui aspirent à me connaître depuis qu'elles ont lu dans mes confidences ma recette du biberon autonome et celle, plus téméraire encore, de la mandoline à touffe. Y a des jours, ma parole, quand le temps va changer surtout, où je suis obligé de mettre des chevaux de frise autour de mon pageot pour être certain d'en écraser peinard. Et encore faut que les barbelés soient branchés sur la haute tension pour résister à ces saboteuses. Je ne sais pas où elles se sont procuré les plans secrets du slip kangourou, les voraces, mais toujours est-il qu'il vaut mieux se faire poser un antivol Nœudman

sur la fermeture éclair médiane si on veut
vaiment ronfler sans arrière-pensée. Chaque
jour il en radine au Poulardin's Office. Elles
affirment qu'elles veulent me voir au sujet
de l'affaire Bediglas, et quand elles sont
devant moi elles commencent par s'asseoir en
retroussant leur jupe jusqu'à leurs boutons de
jarretelles inclus en me demandant ce que j'ai
voulu dire à la page 118 de mon précédent
bouquin lorsque j'écris que les femmes sont,
à l'amour, ce que les fers à friser sont aux
moustaches des colonels en retraite. Je suis
obligé de biaiser pour me dépêtrer de ces
curieuses, et c'est chaque fois du temps
perdu.

Vous le savez, j'ai pas l'habitude de rechi-
gner quand on me demande de jouer l'acte
deux de Casanova au service de la France ;
seulement j'aime à choisir moi-même mon
cheptel. Rien de plus déprimant que les né-
vrosées dont les fringues ne tiennent que par
un fil blanc, tout comme leur malice, et qui
se retrouvent à loilpé en face de vous sitôt
que vous leur demandez leur prénom
usuel.

Dans le cas présent, je décide de ne pas
recevoir la dame signalée aux étages infé-

rieurs. J'ai rambour ce soir avec une délicieuse brunette d'origine ibérique à qui j'ai projeté de faire le grand jeu, et je ne tiens pas à me disperser.

— Dis-lui d'aller se faire estimer ailleurs ! enjoins-je au préposé.

— Bien, patron.

Là-dessus, je serre distraitement la pogne visqueuse de Béru, celle cartilagineuse de Pinaud et je me brise comme une coquille d'œuf sous le postère de Gabriello.

La journée finit en beauté en ce jeudi de juin. Un soleil doré à la feuille joue du Van Gogh en solstice sur Paris et ne semble pas du tout décidé à aller se zoner derrière le mont Valérien. Y a de la poussière blanche en suspens dans l'air, des senteurs de femmes et de fleurs en deçà de la grille de la Grande Taule — laquelle renifle avant tout le mégot désaffecté et la chaussette de laine surmenée.

J'ai laissé ma charrette dans une rue adjacente (afin de mettre plus vite les adjas) et d'un pas mou je la rallie. J'aime le début de l'été, à cause de l'or du soir qui tombe et des voiles z'au loin descendant vers Harfleur. On a l'impression d'exister en plein tarif, sans accorder de billet de réduction au destin. Les journées sont longues et légères. Bref, on en a pour ses soucis.

Au moment où je délourde la portière, j'entends un bruit de femme qui court. C'est caractéristique, ça ressemble au clapotement d'une vieille machine à coudre. Machinalement, je me retourne et qu'avisé-je ? Une délicieuse petite dame frisant la vingt-cinquaine ; blonde comme les Vénitiennes quand elles ne sont ni brunes ni rouquines, roulée comme une gitane maïs et vêtue d'un délicieux ensemble en flanelle bleue avec un col large doublé blanc et un corsage en tissu imprimé.

Elle fait de grands gestes. Je me retourne pour voir à qui s'adressent ces signaux de détresse (sémaphore et fais reluire) ; je ne vois personne et conclus avec sagacité que c'est à moi qu'elle en a. La voici à ma hauteur. Elle se comprime la poitrine, ce qui est dommage car elle l'a belle et bien accrochée.

— Vous êtes monsieur le commissaire San-Antonio ? halète-t-elle.

— Si fait, madame, rétorqué-je, comme un

homme qui a lu les Trois Mousquetaires et
qui veut que ça se sache.

— Il faut absolument que je vous parle !

— C'est vous qui avez demandé après moi
tout à l'heure ?

— Oui. Je vous ai reconnu quand vous
êtes sorti. Et je me suis permis de...

Elle a du mal à reprendre son souffle car
son sprint a été féroce.

Je n'ai pas l'habitude d'être muflard et surtout pas avec des mômes de ce style. Je la
prendrais volontiers comme partenaire pour
tenter le record du monde de durée en patin-
roulé toutes catégories.

— Montez dans ma voiture et reprenez
votre respiration.

Elle obéit. Une fois assise, elle paraît
retrouver son rythme cardiaque idéal et
tourne vers moi un merveilleux visage boule-
versé et bouleversant.

— C'est épouvantable, monsieur le commissaire.

Combien de souris m'ont amorcé avec une
exclamation de ce genre. Et après m'être plus
amplement informé, j'apprenais qu'elles
avaient perdu leurs clés dans le métro ou que

leur amant avait dérouillé une contre-danse.

— Si vous me racontiez ça ? fais-je, prêt à tout entendre, en glissant un œil vaseliné sur les genoux admirables dépassant de sa jupe.

Elle met sa main devant sa bouche. Les ongles sont merveilleusement faits. On dirait de menus pétales de rose.

— Vous avez entendu parler de Gilbert Messonier ?

Je branle le chef. Tout ce que ce nom évoque pour moi, c'est un peintre réputé.

— Voyons, insiste-t-elle, l'affaire Coras !

Du coup mon visage avenant s'éclaire comme le ring du Madison-Square un soir de championnat du monde. L'affaire Coras, tu parles ! Et par la même occase, je situe le Messonier en question ce qui n'est pas du-raille vu qu'il croupit dans la cellote des condamnés à mort de la Santé. Pour les ceuss qui ne sont ni au faîte de leur carrière, ni au fait de l'actualité, je crois bonnard de rappeler l'histoire : il y a environ deux berges, un dénommé Denis Coras, négociant en pierres précieuses, fut assassiné dans son appartement du boulevard de Beauséjour ainsi que

son vieux père, lequel était venu passer
l'hiver chez son fils (ce en quoi il se montra
mal inspiré).

Double assassinat sordide : couteau et
tisonnier ! Une vraie boucherie ! Les deux
hommes étaient seulâbres dans la crèche, la
femme de Denis Coras étant à la cambrousse
avec la bonne. Le mobile de la tuerie ? Le vol
d'une collection de cailloux importée d'Ams-
terdam.

L'enquête menée avec diligence par des
inspecteurs qui ne buvaient que les vins du
Postillon, révéla assez rapidos que le coupable n'était autre qu'un certain Gilbert
Messonier, jeune fils à papa désœuvré (ami
du club de Denis Coras) chez lequel on
retrouva une partie des joyaux planqués dans
la tubulure d'un lampadaire. Vous voyez, j'ai
la mémoire qui phosphore ! Le gnace com-
mença par nier, mais il fut incapable de pro-
duire un emploi du temps. Par la suite, il se
mit à table d'assez bon appétit et admit que,
endetté jusqu'au valseur, il était allé emprun-
ter du flouze à Coras. Celui-ci lui en avait
refusé, la discussion avait viré au moche et
Messonier lui avait colloqué un coup de
« repose-toi-rien-ne-presse » sur le cigarillo.

Là-dessus, le dabuche à Coras s'était annoncé inopinément et Messonier, perdant tout contrôle, avait administré à ces pauvres messieurs une infusion de coupe-papier. Grosso modo, voilà à peu près le topo. Ensuite Messonier avait fait main basse sur les diams car le coffre n'était pas fermaga...

Dans un éclair j'ai revu tout cela. Je me tourne vers ma voisine de banquette. Elle sent vachement bon : lilas et fraise sauvage, un parfum de chez Larenifle, rue du Saint-Honoré à la crème.

— J'y suis, madame, alors ?

Croyez-moi ou allez chez votre tripier favori vous faire mettre des bas morceaux sur le porte-bagages, mais cette personne a les yeux verts et bleus. Je n'ai jamais rencontré un phénomène pareil. Le centre de ses lampions est vert-bleu et le tour bleu-vert ; faut le voir pour le croire ! Quand on se paume dans cet infini, on pense à des trucs qui ne sont jamais mentionnés sur les manuels scolaires ni dans les catéchismes du diocèse de Pointe-à-Pitre.

— Alors, murmure-t-elle d'une voix à la Marlène, revue par Garbo et corrigée par

Morgan, alors on va exécuter Gilbert Messonier demain matin.

— D'accord, c'est triste, dis-je, car personnellement, je suis contre la peine capitale,
mais enfin...

— Messonier est innocent, monsieur le
commissaire ! s'écrie la superbe créature aux
yeux méditerranéens.

— Qu'en savez-vous ?

Elle baisse la tête. Le parfum de sa cheve-
lure se fait plus obsédant.

— Il était avec moi au moment des
meurtres.

Si vous ne tiquez pas, les mecs, c'est que
vous avez les nerfs en fibrociment ; et si
vous sursautez, c'est que vous les avez en pur
lastex. Le gars mézigue, fils aîné préféré et
unique de Félicie, ma brave femme de mère,
se cantonne, lui, dans une prudente réserve.
C'est pas la first fois qu'une nana qui s'en
ressent pour un condamné à mort met le
paxon afin de lui éviter d'y aller du cigare.
Elle me fait un coup à la désespérée, la fran-
gine ! Elle espère qu'on va tuber à M. de
Pantruche de remiser sa bécane.

Un élément de la dernière heure, etc. Ça
s'est vu, ça se voit tous les jours et ça se verra

tant qu'il y aura de par le monde des mômes
que des hommes expédient au septième ciel
avec bagages accompagnés.

Hélas, elle se fait des berlues sévères, je ne
sais pas comment le lui expliquer.

— Vous êtes la femme de Messonier ?

Elle secoue la tête.

— Non, monsieur le commissaire. Gilbert
n'était pas marié.

— Alors...

C'est elle qui vole à mon secours :

— Je suis la femme de Denis Coras, monsieur le commissaire !

Fermez le ban !

CHAPITRE II

Un ange passe, je vous prie de le croire. Et
à tire d'aile, encore ! Il faut mettre des verres
teintés pour suivre sa trajectoire.

La femme de Coras ! C'est-à-dire la femme
de la victime ! A ma connaissance, cette
digne personne était restée tout à fait en
dehors du circuit. On l'avait juste vue renifler
à la barre dans des voiles de deuil. L'avocat
de la partie civile avait tenu à ce qu'elle
vienne montrer son désespoir au peuple. Elle
ne savait rien, elle l'avait balbutié. Le président des Assises l'avait remerciée pour son
courage et lui avait cloqué les condoléances
du jury auquel on avait distribué des oignons
à tout berzingue pour faciliter son émotion.

Du coup, je trouve que l'affaire vaut le
dérangement.

— Allons bavarder de tout ça à mon bureau, décidé-je.

Elle consent. Nous retournons à la Villa Bourdille, côte à côte. Sa démarche est digne du reste. Elle a le contre poids qui se garde un coup à gauche, un coup à droite, Mme Veuve Coras. C'est émouvant comme quand le soleil va faire un coucher avec la mère Deglace.

« Ce que ça doit être rigolo de jouer à papa-maman avec cette personne », comme disait mon ami Jean Banlaire qui organisait des partys. Mais la question n'est pas là.

— Donnez-vous la peine d'entrer !

Je frémis en pénétrant dans le bureau.

Pinaud est occupé à recoudre les boutons de son pantalon qu'un séisme a dispersés. Bas-vêtu d'un calcif à rayures style Chéri-Bibi, son chapeau de feutre enfoncé jusqu'aux coquilles, ses lunettes en équilibre sur la pointe extrême de son naze, il tire l'aiguille avec autant de conscience que Jeanne of Arc en mettait à filer sa quenouille en bâton avant que des voix off ordonnent à la Pucelle d'ébranler les rosbifs et d'emmener Charlot number VII à Reims pour y sabler le champagne de la victoire.

Je reste médusé devant le spectacle. Malgré son émotion, Mme Coras a un haut-le-corps. Pinaud se découvre poliment devant l'arrivante.

— Tu tombes bien, fait-il, ça t'ennuierait d'enfiler mon aiguille ? Je suis de plus en plus presbytérien.

En guise de réponse, j'oriente la dame vers le bureau voisin. Manque de bol, Béru, qui assume la permanence, est en train de se faire cuire des tripes lyonnaises sur son réchaud et on a l'impression de pénétrer dans la cuisine d'une cantine scolaire.

En désespoir de cause, j'installe ma compagne dans la salle des témoins.

— Asseyez-vous !

Innocemment, je me place en face d'elle parce que c'est une position clé qui permet une vue imprenable sur la lisière de ses bas. Ayant constaté que ses jarretelles sont blanches et sa peau ambrée, je m'efforce de hisser mon regard noyé jusqu'à son visage.

— Madame, attaqué-je, je pense que nous devons avoir une conversation sans détour. Vous me dites que vous êtes l'épouse de la victime, M. Denis Coras ?

— Oui. Je m'appelle Geneviève Coras, dois-je vous montrer mes papiers ?

— S'il vous plaît, oui.

D'aucuns d'entre vous trouveront ma suspicion injurieuse, mais je leur objecterai que, dans notre job, on n'est jamais à l'abri d'un coup fourré. Bien qu'elle n'en ait pas l'air, la dame pourrait avoir un rouage qui grince dans la boîte à cellules grises et je serais la dernière des noix creuses en becquetant ses salades.

J'ai droit à un permis de conduire et à une carte d'électeur qui ne me laissent pas de doute quant à son identité. Ces fafs m'apprennent qu'elle s'appelle Geneviève Angeline Buisson, épouse Coras. Qu'elle est née à Arras et qu'elle a vingt-six berges. Son sourire désenchanté me prouve en outre qu'elle jouit de toutes ses dents moins une molaire.

— Non, je ne suis pas une mythomane, murmure-t-elle en remisant ses pièces d'identité dans un sac en croco.

Je me dis que ça reste à prouver. D'accord, elle ne triche pas sur son blaze, mais p't'être bien qu'elle s'est inventé tout un cinéma. Ça arrive. Le chagrin leur tourneboule parfois le bol, aux grognaces, et elles vous servent des tartines de bobards en veux-tu en voilà !

Celle-ci a peut-être éprouvé un choc en voyant Messonier condamné à mort. L'idée qu'il pouvait être innocent s'est fait jour dans sa ravissante petite tête ; pcu à peu, elle a grandi, bien qu'elle ne fût pas espagnole, cette idée-là, et maintenant, la môme a un délire à grand spectacle qui lui tient compagnie.

S'agit d'ouvrir l'œil et de ne pas mettre le pied dans un coup foireux because, contrairement à ce qu'on s'imagine, dans mon job ça ne vous porte pas bonheur.

— Expliquez-vous, madame !

— Mon mari et mon beau-père ont été assassinés un samedi après-midi, si vous vous rappelez ?

— Possible !

— Je me trouvais à la campagne...

— Je sais.

— J'étais partie avec la bonne pour mettre en ordre notre maison de Montfort-l'Amaury. Mon mari et son père devaient nous y rejoindre en fin de journée.

— Je sais.

— Dans l'après-midi, je suis allée retrouver Gilbert Messonier qui était mon amant !

Je sourcille. Voilà du neuf qui vient un peu tardivement, on dirait.

— Continuez...

— Que vous dire de plus ? Nous avons passé l'après-midi ensemble dans les environs de Montfort où Messonier avait une petite maison.

— A quel endroit exactement ?

— Neauphle-le-Château.

Je me pince le haut du pif, ce qui est un moyen radical d' « aspirer » des souvenirs dans les méandres obscurs de la mémoire, comme écrirait un académicien français de ma connaissance. Je me rappelle parfaitement que, dans ses premières déclarations, Messonier affirma s'être trouvé à Neauphle au moment du meurtre. Mais comme il ne put établir la preuve de ce qu'il avançait, mes confrères ne s'attachèrent pas à ces allégations. D'ailleurs, il ne persista pas et se mit à table peu après.

Je reviens au sujet qui me fait face. Geneviève Coras est immobile comme une statue. Seul son regard de lapis-lazuli (j'ai eu un bijoutier dans mes relations) anime sa figure

émouvante. Le sphinx ! Elle est aussi énig-
matique que lui. Et j'ai toujours été attiré par
le sphinx, il y a encore dans Paris des retrai-
tées qui pourraient vous le certifier !

— Madame Coras...

— Oui ?

— Comment se fait-il que...

Elle hausse les épaules et d'un geste élé-
gant, harmonieux et odoriférant, m'inter-
rompt.

— Je sais ce que vous allez me dire. En
fait, j'attendais cette question. Pourquoi n'ai-
je pas parlé plus tôt ?

— Mon Dieu, chère madame, je crois que
vous avez attendu, non pas le dernier
moment, mais les derniers moments. Ceux de
Messonier en tout cas.

Elle se tord les pognes.

— Je suis une criminelle, monsieur le
commissaire. A cause de mon silence, Gilbert
va peut-être mourir...

— Je crois qu'on ne peut mieux résumer
la situation. Comment expliquez-vous ce
silence ?

Elle me considère d'un air interrogateur.
Elle se traduit ma question, la distille, la

malaxe, la pétrit, l'agglutine, la déglutit, la pense.

— Tout cela a été un tel cauchemar...

— Les cauchemars les plus longs ont une fin, dis-je avec cette profondeur d'esprit qui flanque le vertige à mes contemporains.

Elle opine. Vous pouvez pas savoir ce qu'elle opine bien, cette dame triste aux jambes de blue-bell girl.

— Voyez-vous, monsieur le commissaire, lorsqu'on apprend que son mari est mort assassiné dans des circonstances affreuses, alors qu'on était en train de le tromper, on ne pense plus avec logique. Tout est aboli... Quand j'ai connu le faisceau de preuves qui accablaient Gilbert Messonier, j'ai cru que mon amant avait vraiment trempé dans l'affaire !

M'est avis qu'il trempait un peu partout, ce zig ! Mais je la laisse poursuivre.

— Vous comprenez : ces joyaux découverts à son domicile constituaient un élément majeur... D'autant plus que...

Elle se fait un nœud à la menteuse. Ce qui reste à bonnir passe mal ; faut lui cloquer de l'huile paraffinée sur les muqueuses.

— D'autant plus que quoi ? hasardé-je. Je

pense, chère madame, que toute réticence est
inopportune en ce moment. Le temps presse,
pardonnez-moi de vous le rappeler !

— Vous avez raison ! déclare-t-elle sans
ambages, ayant oublié sans doute sa provision
d'ambages dans le tiroir de son porte-jarretelles. Eh bien, pour tout vous dire, Gilbert
me suppliait de partir avec lui. Seulement,
pour cela, il nous eût fallu de l'argent. Un
jour, il m'a proposé de cambrioler mon mari.
Le vol n'existant pas entre conjoints, je ne
risquais pas grand-chose, affirmait-il. Bien
entendu, j'ai refusé. Il n'a plus insisté, mais à
plusieurs reprises il m'a demandé insidieuse-
ment des détails sur l'endroit où mon mari
rangeait ses collections de pierres... Si bien
que je me suis imaginé, après le drame, que
Gilbert avait fait perpétrer le coup par des
complices. Sincèrement, je le pense encore.
Tout ce dont je suis certaine, c'est qu'il n'a
pas tué. Il n'a pas pu tuer Denis et son père ;
c'est impossible, monsieur le commissaire.
Im-pos-sible ! Je me suis tue parce que, l'esti-
mant complice, je pensais qu'il était normal
qu'il expiât dans une certaine mesure. Ses
aveux surtout me donnaient à penser qu'il
acceptait son sort. Il avait organisé le crime,

en sachant les risques qu'il courait. Il avait perdu la partie et me donnait une ultime preuve d'amour en me tenant en dehors de cette affaire ; c'était comme une espèce de rachat !

Tu parles ! Elle tenait surtout à sa réputation, la gentille petite Mme Coras. Etre la maîtresse de l'assassin présumé de son beau-dabe et de son mironton, ça la fout mal. Avec ça qu'elle risquait de se faire piquer comme complice, puisque Messonier n'avait pas d'autre alibi que celui que pouvait fournir Geneviève Coras, les guignols assis se seraient fait un plaisir d'expédier la pauvre veuve en pension à la maison aux mille lourdes rayon dames seules.

Cuisinée par les techniciens, elle aurait admis que son Jules lui avait proposé de chouraver les cailloux du mari. Or ces messieurs ont l'imagination montée sur le grand développement. De là à conclure que le projet avait été mis à exécution (c'est le mot), qu'il n'y avait eu qu'un pas que Geneviève n'a pas voulu leur voir franchir.

Je lui résume mon point de vue. Elle acquiesce, pudique mais courageuse.

— Vous avez raison, oui, monsieur le commissaire, j'ai péché par lâcheté. La peur du scandale a été la plus forte...

Et, véhémente :

— Pensez-vous qu'on puisse encore surseoir à l'exécution ?

Je réussis une moue qui impressionnerait un dur.

— Il n'y a que dans les romans d'avant quatorze qu'on apportait la grâce du condamné après qu'il ait bu le verre de rhum ! Pour sauver Messonier, il faudrait un élément nouveau !

— Mais n'en constitué-je pas un ? s'indigne mon interlocutrice.

— Oui et non. Supposez, madame Coras, que vous n'ayez pas été la maîtresse du condamné et que vous veniez déclarer : j'ai vu ce monsieur à Neauphle à l'heure du crime, alors peut-être ces messieurs réagiraient-ils. Mais vous reconnaissez qu'il était votre amant. Ils ne verront dans cette confession tardive qu'une ultime manœuvre pour sauver l'homme que vous aimez !

Elle approuve mon raisonnement d'un hochement de tête.

— Oui, je vois. Le cauchemar continue

décidément. Est-ce que vous me croyez au moins, VOUS, commissaire ?

Je la regarde. Ce que j'aimerais lui mordre les lèvres et titiller ses paupières avec mes cils ! Mais si je lui proposais une séance récréative en ce moment, elle penserait que les perdreaux sont des rigolos !

— Je ne sais pas, avoué-je, loyalement.

— Alors vous pensez que je mens ?

— Je ne pense rien. Ou plutôt, je pense beaucoup trop de choses, ce qui revient au même. Mais peu importe, mon opinion personnelle ne change rien à la situation.

— Vous me déconseillez de répéter en haut lieu l'aveu que je vous ai fait ?

— Dans votre propre intérêt, oui. Tout ce que vous obtiendriez, c'est qu'on vous mette sur la sellette afin de voir dans quelle mesure vous avez pu participer aux meurtres !

— Mais c'est terrible !

— Ça l'est.

— Il n'existe donc aucun moyen de sauver la tête de Gilbert ?

— Si, un seul.

— Lequel ? Dites vite, monsieur le commissaire.

Je murmure à regret car j'ai conscience
d'énoncer une énormité :

— Découvrir l'assassin avant demain et
obtenir ses aveux.

Le silence qui s'établit alors n'est troublé
que par la voix majestueuse comme une
corne de brume de Béru. Repu de tripes,
tripe lui-même, mon valeureux coéquipier
laisse s'exhaler son contentement stomacal.
Heureux, parce que plein. Lyrique parce
qu'assouvi, le Gros chante un hymne altier
dans lequel, puisque nous sommes dans une
affaire de joaillier, il est question de trois
orfèvres en visite chez trois de leurs
confrères. Ces honorables visiteurs se com-
portèrent, assure le chant bérurien, avec
beaucoup de délicatesse à l'endroit (et à
l'envers) de la famille de leurs hôtes, ce qui
leur valut une réclamation de la servante qui
avait assisté à ces démonstrations. Ils souscri-
virent d'emblée à la requête ancillaire, au
grand dommage d'une table peu solide d'où
ils chutèrent, sans que leur optimisme en fût
pour autant affecté. Béru affirme de son
timbre sonore qui appelle l'orage et fêle les
vitres que les trois négociants en bijouterie
montèrent sur le toit de la maison afin de

prodiguer des caresses très poussées au chat.

Mme Coras ne paraît pas suivre les péripéties de l'odyssée en question. Le regard fixe, les narines pincées, elle murmure :

— Monsieur le commissaire, j'ai lu vos exploits dans la presse. Je sais ce dont vous êtes capable ! Il faut que vous découvriez les vrais coupables.

CHAPITRE III

Un type à principes, comme Archimède par exemple, demanderait à la veuve Coras si elle prend sa poire pour un quart de Brie et lui conseillerait d'aller cultiver le pois de senteur sur la tombe de son défunt. J'ai déjà vécu des moments pas ordinaires, vous le savez ; et si vous le savez pas il vous suffit de ligoter les tomes (de Savoie et autres) sortis de mes presses pour vous en convaincre (un convaincu valant un vainqueur). Mais des moments comme icelui étaient jusqu'à présent inconnus au bataillon. J'ai rencontré à travers le vaste monde (quarante mille kilomètres de tour de taille) et le long de ma vie bien des femmes exigeantes. Des qui me demandaient de remplacer leur mari au pied levé ; des qui exigeaient que je les tire d'une situation embarrassante ; des qui voulaient ceci et d'autres qui réclamaient cela et toujours je me suis ingénié à satisfaire à la demande. C'est mon côté S.V.J. mitigé Terre-Neuve. Retroussez vos manches, ça ira mieux ! Et en avant marche ! comme disent les pontonniers. Mais une souris déguisée en pin-up qui, à six heures du soir, vient vous avertir que le quidam qu'on doit raccourcir à cinq plombes du mat le lendemain est innocent et vous supplie de découvrir le vrai assassin dans l'intervalle, franchement les gars, c'est la première fois que j'en trouve une !

Si la peau d'un homme n'était pas en jeu, et si la quémandeuse était moins bien roulée, je l'inviterais à aller se faire prouver ailleurs que l'homme n'est pas seulement un roseau pensant. Mais voilà... Vous comprenez ? Deux yeux limpides et pathétiques frangés de longs cils comme on dit dans les romans pour jeune fille humide, ça vous chanstique la volonté, vous court-circuite la raison et vous donne envie de capturer l'Himalaya et de l'emmener promener en laisse.

— Je vous en supplie, monsieur le commissaire, essayez au moins...

Sa bouche entrouverte sur des dents éclatantes promet tout ce qu'on veut bien imaginer. Je gamberge un brin, manière d'étudier comment ça se présente. Une enquête éclair. Une enquête de nuit... Une enquête contre la montre. Une enquête en marche arrière, quoi ! façon écrevisse. Ecrevisse polka !

Après tout, j'ai rendez-vous ce soir avec une charmante dame qui n'a plus rien à me donner, sinon l'heure de sa montre-bracelet (et j'ai déjà celle de Radio-Luxembourg). Je peux donc remettre à plus tard cette conversation au sommet ! Surtout que lorsque vous avez rencontré trois fois une dame comme c'est le cas, une première pour lui offrir l'apéritif, une seconde pour lui offrir votre cœur et une troisième pour lui faire réciter en javanais la liste des départements d'outre-mer, vous pouvez jeter votre dévolu sur une autre, à condition que ce soit un dévolu normalement constitué bien entendu. Et puis, le plaisir d'une soirée peut-il entrer en ligne de compte lorsqu'il s'agit de sauver la tronche d'un homme ?

— Très bien, madame, déclaré-je, magnanime, je vais essayer.

Elle a un geste, que dis-je : LE geste (en anglais the geste). Geneviève Coras quitte

son siège et pose sa main fine sur mon poing.
En même temps, son regard se branche sur le
mien comme une fiche-banane dans une paire
de douilles.

— Merci ! dit-elle, car elle joue sobre.

Je m'ébroue. Il me semble que je viens de
dégringoler dans une flaque d'extase. Comme
la mère Manon j'en suis tout étourdi.

— Seulement, fais-je, je vais vous demander de ne pas me quitter.

Croyez-moi, bande de lanturlus, c'est pas
par salacité que je subordonne cette condition signée Cadum à mon acceptation, mais
bien parce que la collaboration effective de
Geneviève Coras m'est indispensable. Comprenez : elle est le dénominateur commun de
l'affaire. Femme de la victime, maîtresse du
condamné ! Ce sont des titres, ça, qui lui
donnent droit, non pas à une place assise
dans le métro ou à une réduction sur les
chemins de fer, mais à m'assister.

— Je suis à vous ! rétorque-t-elle noble-
ment.

Elle réalise la hardiesse de la réplique et la
tempère aussitôt.

— ... pour vous fournir tous les renseigne-

ments et toute l'aide qui vous seront néces-
saires.

Je fais claquer mes doigts. C'est le coup
d'envoi, les mecs. A moi de jouer ! Si vous
craignez les émotions fortes, courez échanger
ce livre contre les recettes végétariennes de
tante Irma parce que je vous annonce que ça
va barder !

— Voulez-vous m'attendre ici un moment,
madame Coras ?

— Certainement.

Pour la distraire, je lui cloque une revue
scientifique consacrée à la culture du macaroni en branche dans les parcs à huîtres de la
Nouvelle-Zélande. Y a des planches en couleur fantastiques et des graphiques permet-
tant de suivre le rythme de la production des
macaroni néo-zélandais par rapport à celle
des pays sous-développés, sous-estimés et
sous-cutanés.

Dans le burlingue voisin, le gros Béru fait
sa vaisselle en chantant : « Laissez pleurer
mon cœur, vous qui ne m'aimez plus. »

Je lui glisse un discret coup de sifflet dans
les plats d'offrandes.

— Hé, Gros, j'ai une bergère à côté qui
m'a l'air de cafarder. Ça t'ennuierait, mine de

rien, d'aller lui faire un brin de causette pendant que je monte chez le Vieux ?

— Penses-tu, avec plaisir ! affirme le tas
d'immondices, toujours prêt à rendre service.

— Du tact, hein, c'est une personne de la
Haute !

Il hausse les épaules.

— C'est pas à moi qu'y faut faire des
recommandations pareilles ! proteste Béru en
essuyant ses mains mouillées dans ses
cheveux graisseux.

Il sort un mégot sinistré de sa poche, le
pétrit un peu afin de lui restituer une forme
cylindrique et ajoute en se le collant entre les
limaces :

— De toute façon, les gonzesses de la
haute, tu sais, c'est pas parce qu'elles ont un
arbre gynécologique qu'elles m'impres-
sionnent.

D'un pas souple, je gravis les deux étages
qui me séparent du Vieux.

CHAPITRE IV

Je ne sais pas si ça vous est déjà arrivé de débarquer chez quelqu'un avec la bouche en cœur et un œillet à la boutonnière de votre slip de cérémonie et de vous apercevoir soudain qu'il a autant envie de vous voir que de s'engager comme Dalaï-Lama dans les troupes de Mao Tsé-toung. Si vous avez vécu ces moments désagréables, vous avez eu envie de vous désintégrer comme un vulgaire satellite. En tout cas, c'est ce que le valeureux commissaire San-Antonio, votre camarade de poirade, ressent à la puissance dix en pénétrant dans le burlingue du Vioque.

Il est en conférence, le Dabe. Son front ressemble à un accordéon dans son étui et ses yeux pâles reflètent autant de tendresse que ceux d'un chat siamois qui vient de se faire coincer l'appendice caudal dans une porte

blindée. Trois bonzes des ministères sont
laga, en demi-cercle, avec des costars bleus
croisés fleuris de décorations mystérieuses
(j'en connais qui se mettent de la ficelle à
empaqueter les gâteaux à la boutonnière pour
se donner l'air d'en avoir).

— Qu'est-ce que c'est ? me demande le
Boss d'une voix qui foutrait de l'urticaire à
une langouste.

Je distribue un salut déférent aux invités
d'honneur et je balbutie, avec des cordes
vocales élimées par l'émotion.

— Puis-je vous entretenir un instant,
monsieur le directeur ?

— Ça ne peut pas attendre ? rétorque le
tondu en refrénant son envie de me lancer le
contenu de son encrier sur la cravate.

— C'est très urgent.

Il hésite, puis murmure à son trio bleuté :

— Vous m'excusez un instant, messieurs ?

Le trio opine de la tasse. Le Vieux m'entraîne alors dans une petite pièce sans fenêtre
ou s'alignent des classeurs !

— Je vous écoute !

Le traczir me prend. C'est pourtant pas
que je sois intimidable, mais quand le

Dabuche fait ces roberts-là, l'archevêque de
Canterbury lui-même prendrait des vapeurs.
Du coup, je trouve l'histoire de Geneviève
Coras foireuse et j'ai plutôt envie de raconter
à mon supérieur celle du Martien débarqué
sur la terre qui, s'approchant d'une pompe à
essence, lui ordonna : « Conduisez-moi à
votre chef. »

Pourtant, j'y vais de mon voyage. En
termes circoncis, comme on dit à Tel-Aviv, je
lui fais un résumé succinct du cas Coras.
(Cacora ! Voilà que je cause papou maintenant.)

Le chevelu-à-rebours m'écoute, plus glacial
que la coupole polaire. Quand j'ai achevé, il
me déballe la question la plus déconcertante
qu'on puisse imaginer.

— C'est tout ?

— Mais... bêlé-je.

— Ah ! ça, San-Antonio, rouscaille le Big
Boss, vous me dérangez pour une broutille
pareille !

Une broutille ! Il a les béquilles qui se
dévissent, le Vioque. On voit que c'est pas sa
pomme qui moisit dans la cellote des enrhu-
més et qui va éternuer sa tronche aux aurores

dans le panier de son et lumière de la Compagnie Deibler and Family.

— Il y va de la vie d'un homme ! claironné-je, espérant qu'un lieu commun de cette sorte l'amadouerait.

Mais va-te-faire-traduire-tes-tatouages-en-arménien-moderne ! Il reste de marbre comme un palais vénitien.

— Et après ? objecte le Patron. La vie d'un homme ! Vous venez me raconter ces sornettes à moi ! A moi ! Comme si je n'avais pas d'autres chats à fouetter. Coupable ou innocent, ce Messonier a été jugé ; il a passé des aveux, il a été condamné à mort, l'affaire est donc classée.

Ma mine stupéfaite, outrée, meurtrie, réprobatrice, navrée, hostile, le fait sourire. Un sourire mince comme les revenus d'un chômeur.

— Allons, ne soyez pas romantique, mon cher. Le monde n'est fait que d'injustices, ajoute-t-il. D'ailleurs, rien ne nous prouve que cette femme ne ment pas. C'est peut-être une mythomane.

— Mais, patron, si par contre elle dit la vérité, on va dans quelques heures guillotiner un innocent ! Ne pourrait-on pas surseoir à l'exécution au moins pour quelques jours afin que nous puissions procéder à une nouvelle enquête ?

Il hausse les épaules.

— Le Garde des Sceaux n'interviendrait pas sur d'aussi fragiles arguments ! Quand la justice est en cours, San-Antonio, il est difficile de la stopper.

— Mais c'est l'injustice que je veux arrêter, chef !

Le Vieux, il faut se le farcir. C'est le Sahara. Paraît que là-bas, dès que le Mahomet a disparu on est obligé de s'arrimer les râteliers pour ne pas claquer des ratiches. Eh bien, lui passe tout aussi instantanément de la chaleur au zéro absolu.

— Excusez-moi, tranche-t-il. Je suis en conférence.

Et il me moule net au mitan des classeurs qui ont l'air de se gondoler devant ma poire. Je quitte le burlingue d'un pas rageur. Je sais bien qu'à notre époque, la vie d'un quidam compte pour ballepeau ; tous les mal-éclos de la terre vous le diront ; mais j'en ai quine de voir un haut fonctionnaire se désintéresser à ce point d'une question aussi angoissante.

Je redégringole dans mon antre, plutôt mal

viré, avec un cyclone dans l'œil gauche, et un typhon dans le droit. Cette idée qu'à cause de mon mironton le zig Messonier va être transféré au parc à os demain avec une conscience peut-être aussi nette que celle de Jeanne d'Arc revue et corrigée par Persil me fout en rogne.

Je trouve le Gros en train de baratiner ma visiteuse. Il cause théâtre. Elle l'écoute d'une oreille distraite. Le Béru de service lui explique que sa femme est passionnée d'art lyrique et qu'elle le trimbale à l'Opéra tous les dimanches en matinée. La dernière fois, on donnait, dit-il, *Pédéraste et Médisance* ; et la fois d'avant un opéra dont il ne se rappelle plus le titre. Il me prend à parti.

— Comment que c'est, San-A., c't' opéra que le titre c'est comme qui dirait « Saucisson d'Arles » ?

Gêné, je lui fais signe de s'évacuer, mais quand Bérurier cherche à se souvenir de quelque chose, c'est pas la peine d'essayer la transformation. On détournerait plus facilement le cours du Gange dans celui du Pô que sa volonté farouche. Il insiste, les sourcils joints par la concentration.

— C'est pas « Saucisson d'Arles », c'est

plutôt « Saucisson Olida », vous ne voyez pas, madame ?

La douce Geneviève fait un signe aussi harmonieux que négatif.

— Non, c'est « Salmon et Olida » réfléchit Béru. Et brusquement, c'est le gros éblouissement façon Wonder. Sa mémoire fait tilt.

— J'y suis, « Samson et Dalida » !

Triomphant, il extirpe de sa poche sa pipe en écume de mer et la bourre à crever.

— La fumée ne vous dérange pas ? demande-t-il galamment en frottant une allouf.

Geneviève Coras esquisse un petit signe peureux.

— Celle de la pipe, si, dit-elle.

— Eh ben, ma pauv' dame, je vous plains, conclut le Gros en tétant son tuyau d'ambre et en soufflant un nuage derrière lequel trois contre-torpilleurs et deux dragueurs de mines pourraient se dissimuler.

— Inspecteur Bérurier, tonné-je, je vous prie de décamper !

Le Gros me décerne une œillade vénéneuse et se retire en proférant des vœux de malheur.

Me revoilà seulâbre avec la ravissante.

Je mate ma montrouze. Elle dit catégo-
riquement six heures dix et en chiffres
romains s'il vous plaît.

— Vous paraissez désolé, remarque la
jeune femme en se tapotant délicatement les
narines avec son mouchoir en boule.

— Ma foi, préféré-je avouer, il n'y a pas
de quoi se montrer optimiste, je viens d'en
référer au grand patron et il m'a reçu plutôt
fraîchement.

— Il ne veut pas que vous vous occupiez
de l'affaire ?

— Il refuse d'intervenir pour faire
remettre l'exécution. Or, soyons tout de
même réaliste, madame. Je ne puis faire une
contre-enquête cette nuit avec des chances de
succès !

Il y a soudain comme du désespoir dans
l'air. La poitrine de Geneviève pilpate. Charmant ballet laitier auquel pourtant je n'ai pas
le cœur d'accorder trop d'intérêt. Nous
vivons un peu les affres du condamné à mort
qui moisit dans sa cellote. Pourquoi a-t-il
chanté sa grande sérénade de la carpe à mes
potes, au lieu de se défendre ? De deux
choses l'une : ou bien il est coupable et la
môme me bourre le mou ; ou bien il est

innocent et son mutisme incroyable cache quelque chose de pas banal.

Le bigophone intérieur grelotte. Je vole à son secours et réchauffe l'écouteur contre mon oreille. La voix métallique du Vieux me dégouline dans le tout-à-l'égout.

— San-Antonio ?

— Oui, patron.

— Mes zèbres viennent de partir. J'ai réfléchi à votre histoire. Si vous y tenez, vous pouvez rendre visite au condamné, j'ai donné des instructions en conséquence.

Je l'embrasserais en plein sur sa calvitie, le Dabuche, s'il se trouvait à portée. C'est tout lui, ça. Le genre impitoyable, le style grincheux, et puis pas mauvais bourrin dans le fond.

— Si vous avez un élément vraiment nouveau et très important, vous pourrez me prévenir chez moi.

— Merci, patron, vous êtes un...

Il ne me laisse pas le temps d'achever et raccroche.

— Un... vieux fumelard, terminé-je, en posant à mon tour le passe-sirop sur son râtelier.

Excité, je me tourne vers la môme.

— Je vais essayer de faire quelque chose pour lui, madame Coras, mais ne vous réjouissez pas trop vite !

— Oh ! mon Dieu, est-ce possible !

— Venez !

— Où allons-nous ?

— A la Santé pour commencer, dis-je, je vais dire un mot à Messonier.

Elle frissonne, blêmit, et murmure d'une voix inaudible :

— Moi aussi ?

Qu'est-ce qu'elle croit, la chérie, que l'administration va lui offrir une dernière nuit d'extase avec son ancien Jules ? Elle se fait des berlues ! Je vois d'ici le tableautin : M. de Paris s'annonçant demain matin pour réveiller Messonier et trouvant le condamné à mort dans les bras d'une pépée carrossée par Chapron.

— Hélas, vous devrez m'attendre dans la voiture, déclaré-je. Car vous devez bien comprendre que...

Elle branle le chef.

Oui : elle comprend !

CHAPITRE V

— Dites-lui... Dites-lui...

Elle a les yeux humides et sa voix se bloque. Je lui pose la paluche sur le genou, cordialement.

— Allons, madame Coras, du courage !

Elle a un adorable petit mouvement de menton, très lieutenant de Saint-Cyr saluant son général. Elle est crâne, cette môme. Je déhote de ma tire après avoir branché la radio de manière qu'elle ait son taf de publicité Monsavon pendant mon absence.

Les fortes lourdes de la Santé (à la bonne vôtre !) s'entrouvrent sur ma personne. Je déboule mon ausweiss au préposé et j'ai droit à une entrée gratuite pour la manufacture des portes et serrures. Un gardien-chef qui méprise son foie, si j'en juge à la coloration de son tarin, me conduit dans le quartier des condamnés à mort.

L'endroit est assez déprimant lorsque l'on songe à ce qui attend les locataires du coinceteau. Mon guide aborde un de ses collègues et l'affranchit sur mon identité. L'autre cligne de l'œil.

— Vous voulez essayer d'obtenir des confidences avant qu'il y aille du cigare, m'sieur le commissaire ?

— Y a de ça !

Il secoue sa bouille de méduse blafarde.

— M'étonnerait que vous y arrachiez une broque. J'ai jamais vu un client aussi silencieux ; lui, c'est la muette sur toute la ligne !

— Que fait-il ?

— Il bouquine, des livres pieux surtout. On dirait qu'il est touché par la foi. C'est souvent que ça arrive à nos pensionnaires. Quand ils réalisent que c'est scié pour eux en bas, ils se tournent vers en haut. Vous pouvez pas savoir ce qu'on Lui envoie comme clients, au Barbu !

Et de rire. Je le mate tristement en songeant qu'il y a des zigs qui gagnent leur vie bizarrement. Ainsi ce monsieur. Il garde des suppliciés en puissance avec un optimisme délirant, et ça ne lui donne même pas à réfléchir. Il vit dans une agonie générale en faisant des calembours. Je sais bien qu'il en faut, mais tout de même j'aime mieux ma place que la sienne bien que dans le fond ce soit moi qui l'approvisionne en matière première.

Seulement, si mon turbin c'est l'épopée, le sien c'est Borniol.

— Alors, je vous annonce ? plaisante l'escogriffe au teint d'endive.

— Oui.

— Vous voulez voir le client avant d'entrer ?

Il fait coulisser le volet d'un judas.

Je m'approche de l'ouverture et je fais un plan au Pancinor sur la cellule. L'endroit est aussi folichon qu'un caveau de famille un jour de pluie. Messonier, vêtu de bure comme il se doit (pourquoi ce carnaval macabre, grand Dieu !) est assis à une petite tablette scellée dans le mur. Il lit. Je ne le vois que de profil et je trouve icelui émouvant. Il a un beau visage triste et résigné, des cheveux blonds, un nez harmonieux. La façon dont il tient sa tête dans sa main est élégante. On sent le garçon racé. Je suis fasciné par sa nuque délicate. Demain à l'aube...

— Je vous ouv' ?

— Allons-y !

La porte grince légèrement. Ce bruit rouillé éveillera sûrement Messonier au petit jour car il doit avoir le sommeil fragile comme du cristal de Bohême, le pauvre chéri.

Il détourne la tête pour faire face à l'arrivant. Les yeux sont bleus, calmes, attentifs.

— Une visite pour vous ! annonce le porte-clés.

Gilbert Messonier referme son bouquin après avoir toutefois regardé le numéro de la page.

Nous voilà en tête à tête. Il a l'air surpris. Evidemment, excepté ses gardiens et l'aumônier, il ne reçoit pas bézef de visiteurs.

— Monsieur ?

Je lui souris gentiment.

— Commissaire San-Antonio, annoncé-je.

Il se lève et me désigne le tabouret qu'il vient de quitter.

— Si vous voulez vous asseoir, je n'ai que

cet escabeau à vous proposer et encore est-il enchaîné au mur.

J'accepte le siège. La voix du condamné à mort est feutrée, comme celle des gens qui ont pris l'habitude de parler rarement et dans un local exigu. Il s'adresse à la cloison, en face de moi, les mains pendantes le long du corps. Il attend des explications.

— Monsieur Messonier, attaqué-je.

Il tressaille. Depuis belle lurette on ne l'a pas appelé monsieur et ça lui fait tout drôle. A la buée qui voile soudain son regard, je pige qu'il a son coup d'émotion.

— Monsieur Messonier, j'ai reçu tout à l'heure la visite d'une dame qui semble vous vouloir du bien.

— Quelle dame ?

— Vous ne devinez pas ?

Il baisse la tête.

— Ma mère ? murmure-t-il.

— Non !

— Ah ! je me disais aussi...

— Vous vous disiez quoi ?

— Que c'eût été surprenant ; elle ne m'a même pas écrit un mot depuis mon arrestation.

J'en suis baba. Je sais bien que c'est vexant

d'avoir un rejeton au chetard pour meurtre ; mais quoi, un fils reste un fils, même s'il a fait becqueter de la mort aux rats à tout un pensionnat de jeunes filles ! Ce silence de sa vieille, c'est son drame à Messonier.

— Je me doutais bien que mon père serait intraitable, poursuit-il, poussé par le besoin de se raconter à quelqu'un qu'il sent compréhensif et d'une intelligence nettement au-dessus de la moyenne (vous inquiétez pas, je me cloque du liminent sur les chevilles pour résorber les traumatismes). Evidemment, continue Gilbert Messonier, c'est un général en retraite qui ne me pardonnera jamais même après... Pourtant, ma mère...

Deux larmes coulent sur son visage blafard. J'en suis remué comme une mayonnaise.

Pour faire diversion, je me hâte d'enchaîner.

— La personne qui m'a rendu visite à votre sujet n'est autre que Mme veuve Coras !

Alors il tressaille. Ses yeux se rapetissent, ses narines se pincent comme celles de Monseigneur. Ses lèvres remuent à vide ; aucun son n'en sort.

— Vous connaissez Mme Coras, n'est-ce pas ? poursuis-je en croisant les jambes et en tirant sur le pli de mon futal.

Il ne répond pas.

— Je crois même que vous la connaissez intimement aux dires de cette dame.

J'ai l'impression de blablater seul. Il est incrusté dans le mur et fixe mornement le sol grossier de la cellule.

— En bref, poursuis-je néanmoins, elle a été votre maîtresse. Je pense que vous ne le nierez pas ?

Mutisme sur toute la ligne. Il a pas été vacciné avec une aiguille de phonographe, je vous le garantis !

J'espère au moins qu'il n'a pas les coquilles Saint-Jacques bouchées. Je continue donc :

— Mme Coras est venue faire une déclaration de dernière heure...

Je me mords les lèvres. M'est avis, les mecs, que j'y vais avec des escarpins de scaphandrier. Le coup de la dernière heure va donner à penser à mon vis-à-vis que sa coupe de cheveux maison, c'est pour bientôt et p't'être avant !

— Elle affirme qu'elle était avec vous à Neauphle au moment où les meurtres furent commis ! Qu'avez-vous à répondre à cela, monsieur Messonier ?

J'ai haussé le ton pour le faire dégringoler de sa rêverie. Effectivement, il refait surface.

— C'est faux, dit-il.

J'en ai l'aorte chanstiquée. Voilà un zouave pas ordinaire, mes enfants. Monsieur a un bath costar de bure, il poireaute dans les appartements privés de la guillotine en attendant la visite du monsieur qui a le sens du raccourci ; moi je m'annonce avec mon air comte et ma vue excellente en lui tendant un pébroque gros comme le chapiteau d'Amar et au lieu de s'y cramponner, il bat à niort ! Vous parlez d'un citoyen !

— Vous niez avoir été l'amant de Geneviève Coras ?

Légère hésitation du garçon.

— Oui, ç'a été un petit flirt, tout au plus.

— Vous prétendez que Geneviève Coras ment en affirmant s'être trouvée chez vous lors des crimes ?

— Oui.

— Elle invoquerait donc ce témoignage pour vous sauver ?

— Peut-être.

— Je pense que vous comprenez le... la gravité de vos dénégations ?

— Parfaitement.

— En réfutant les dires de cette dame, vous repoussez votre ultime chance.

— Je sais, monsieur le commissaire.

Marrant. Je devrais être convaincu de sa culpabilité. Et pourtant, c'est seulement à cet instant que je sens vraiment que Geneviève ne m'a peut-être pas berluré. C'est lui qui ment ! Il se suicide de la façon la plus extra-ordinaire qui soit en endossant des meurtres qu'il n'a pas commis.

— Mon cher Messonier, il est des moments dans l'existence où l'on doit dire la vérité, quelles qu'en puissent être les consé-quences.

Il ne moufte pas.

— Vous me comprenez ?

— Très bien. Mais je n'ai rien à ajouter.

Je me fiche en pétard. C'est un peu l'his-toire du gnace qui se file à la tasse pour sauver un teigneux en train de se noyer et qui moule un parpaing dans la hure en guise de merci.

— Ecoutez-moi, espèce d'idiot ! fulminé-je. Ecoutez-moi bien. Sur les déclarations de Geneviève Coras, nous allons reprendre l'enquête. Mais elle risque d'être longue, trop longue pour que vous en connaissiez les résultats, vous voyez ce que je veux dire ?

Vous devez me trouver vache à roulette, hein ? Mais c'est plus fort que moi, quand j'ai le chaudron en ébullition faut que la vapeur s'en aille !

Le gars a une moue un peu méprisante, très fils de famille ; que dis-je : fils de général ! Il me prend pour un mufle. Un gnace qui ferait une incongruité au thé de la marquise de Vasimou de Grochose serait pas biglé autrement.

Je vois parfaitement ce que vous voulez dire, oui, monsieur.

Je me lève. Je vais à lui. Je lui cramponne l'aileron.

— De toute façon, je découvrirai la vérité, Messonier. Alors, pourquoi me laissez-vous la découvrir trop tard ?

— J'ai dit la vérité, répond-il en me filant ses myosotis dans les antibrouillards.

Il a articulé à plein régime pour me faire entraver que c'est du définitif.

Inutile d'insister ; il ne tient pas à se

refaire une santé, celle-ci lui donne toute
satisfaction. Il a déjà un nougat dans le
sépulcre et un autre sur un pot de brillantine
Roja. Son gardien a raison, maintenant il est
client pour l'infini. Le Saint Pierre office, ça
le tente. Il se dit qu'il a fait le tour de la
situation et qu'il est paré pour aller présenter
ses lettres de créance en Très Haut Lieu.

— Eh bien, puisqu'il en est ainsi, sou-
piré-je, je n'insiste pas. Après tout, si vous
tenez à grimper sur la bascule, ça vous regarde.

Il est livide. Il a dû penser mille fois à la
cérémonie en question.

— Adieu, monsieur Messonier.

— Adieu, monsieur le commissaire, et
merci pour votre sollicitude ; mais croyez-
moi, vous perdez votre temps en ajoutant foi
aux déclarations de Geneviève Coras. Si vous
la revoyez, remerciez-la pour moi. Son geste
est très courageux.

Je pense que rarement deux hommes se
sont regardés avec autant d'éloquence. Il sait
que je le crois innocent et dans le fond, ça ne
lui déplaît pas.

Lorsque nous nous séparons, nos regards

dessoudés font un bruit de papier adhésif arraché.

Dans le couloir, le gardien jovial mange une tartine de fromage fort en faisant clapoter ses mandibules.

— Il vous a raconté sa vie ? demande-t-il à travers son fromegogue.

Je secoue la tête. J'ai la gorge sèche comme une pierre à briquet.

— M'étonne pas, qu'est-ce que je vous disais ! Pour moi, poursuit le tireur de verrous, c'est sa désintoxication qui l'a mis sur les genoux.

Je lui saute sur le baquet.

— Quelle désintoxication ?

— Vous n'êtes pas au courant ?

— Non.

— Avant son arrestation, il se droguait vilain. Une fois au gnouf, la farine lui manquait, on a dû lui faire un petit traitement à l'hosto de la maison. C'est depuis qu'il s'est lancé dans la bigoterie.

Je me dis que voilà un précieux renseignement. Je file un nouveau coup de sabord à ma tocante. Il est sept heures vingt. Ce que le temps passe !

— A la revoyure, dis-je au gardien.

— Vous venez demain matin à la partie de coupe-cigare ? demande-t-il en enfournant le solde de sa tartine.

— Non, je préfère les films de Fernandel.

Il se gondole.

— Pourtant y a des amateurs. La bécane à Charlot, ça faisait recette avant Petiot, quand on raccourcissait sur le Boulevard...

Je gamberge un chouïa avant de serrer la paluche fromageuse du gardien.

— Peut-être reviendrai-je avant, le préviens-je.

— Vous êtes tenace, M'sieur le commissaire, remarque-t-il. Je vois que vous n'avez pas dit votre dernier mot.

— C'est plutôt Messonier qui n'a pas dit le sien, rectifié-je en m'en allant.

CHAPITRE VI

Comme je m'apprête à passer le porche de la Grande Cabane, un fourgon noir y pénètre, m'obligeant à me plaquer contre le mur. Le frère portier me cligne de l'œil :

— V'là le massicot, annonce-t-il avec bonhomie. On en a un qui se fait opérer des amygdales demain matin !

Je lui rends son sourire, dans des tons un peu forcés, et je vais rejoindre Geneviève. La jeune femme semble plongée dans un état dépressif assez inquiétant. Je suppose que la proximité de la prison n'est pas étrangère à cette délectation morose.

— Vous l'avez vu ? demande-t-elle.

— Oui.

Elle a cette question machinale, qui en l'occurrence revêt un sens tout particulier :

— Comment va-t-il ?

— Pas mal, assuré-je en pensant au fourgon noir. Il donne dans la religion, ça le fortifie.

— Qu'a-t-il dit ?

Je coule mon index préféré sous son menton, ce qui fait qu'elle a le menton indexé, et
je l'oblige à me regarder.

— Il assure que vous m'avez menti,
madame Coras, et il réitère ses aveux.

— Mais c'est insensé !

— C'est ce que j'ai tâché de lui expliquer,
mais il n'a pas voulu comprendre. Il m'a
chargé de vous remercier pour cette courageuse tentative...

Elle échappe à mon doigt comme un fau-
con qui lâche le gantelet d'un fauconnier
pour s'envoler.

— Alors tout est perdu ?

— Ça m'en a l'air, hélas.

Je reste un instant flottant derrière mon
volant. J'évoque la figure triste de Messonier.
Il est sympa, ce gars-là, dans le fond. Son
histoire, je la connais mieux que personne, du
moins son histoire mentale. C'était le fils à
papa-général qui s'em...nuyait chez ses vieux.
La troisième personne du subjonctif, les
baise-pognes aux daronnes, les dîners avec

Monseigneur Balandard et les vêpres du dimanche lui pesaient sur la tomate. Il a voulu s'esbaudir, ramasser du fric pour le claquer avec des nanas faites exprès pour ça. Il est devenu peu à peu un dévoyé. Il est sorti des rails, Gilbert. Une couennerie en amenant une autre, il est passé de l'autre côté de la barricade. Et total, maintenant il attend la tondeuse ! Pourquoi ? Parce qu'il n'était pas doué pour la mauvaise vie. Il restait fils de général dans son subconscient et quand la catastrophe lui a chu sur le naze, il s'est débrouillé comme un manche. Un vrai malfrat aurait réussi à se tenir au propre et à berlurer les guignols, mais pas lui.

Je coule un regard oblique à la pendule du tableau de bord. Ces aiguilles qui grignotent les derniers instants de Messonier me font mal.

— Dites-moi, madame Coras, qu'est devenue la jeune bonne qui se trouvait à votre service au moment du crime ?

Elle paraît surprise par ma question.

— Je l'ignore.

— Vous l'avez renvoyée ?

— Non, elle m'a quittée deux mois plus tard pour se marier.

— Il serait important que j'aie un entre-
tien avec elle. Où peut-on la dénicher ?

Ma compagne réfléchit.

— Ses parents étaient épiciers à Montfort,
ce sont eux du reste qui m'avaient casé
Hélène.

— Alors, en route !

— Nous allons à Montfort ?

— Oui.

Elle n'objecte rien, mais je la sens pleine
de réprobation. Naturlich, elle pense que les
minutes sont comptées et ce petit voyage lui
paraît superflu. Pour créer l'ambiance, je
remets la radio que ma douce cliente avait
stoppée en mon absence. On tombe pile sur
les informations. Paraît qu'aux States ils
viennent de lyncher un nègre qu'avait eu le
toupet de faire de l'œil à une tapineuse de
race blanche. Cette nouvelle n'est pas faite
pour nous remonter le moral. Y a des jours
où l'humanité est vraiment malade ! Ces
Noirs amerlocks devraient venir s'installer
chez nous, vu que les nanas de par ici s'en
ressentent pour leur pomme. J'ai jamais compris qu'on fasse tant de giries pour un pauvre
viol de rien du tout. N'est-ce pas la meilleure
chose qui puisse arriver à une dame ? Il y a

tellement de petites hypocrites qui hésitent à se faire composter par un colored man ; si le gars fait ça d'autor, l'intéressée a tout le plaisir de l'étreinte sans en avoir la responsabilité, non ? C'est tout bénef. Mais au lieu de remercier le bougnoul pour son esprit d'initiative, ces garces font du foin et appellent la garde. Conclusion ; les petits dessalés se retrouvent au bout d'une corde comme des glands style Louis XI, ce qui n'est pas fait d'ailleurs pour calmer leur ardeur si j'en crois la légende.

En effet, c'est inouï le nombre de messieurs qui aimeraient être pendus, du moins un petit moment !

Il est plus de huit plombes lorsque nous débarquons — à tombeau entrouvert — dans l'aimable localité de Montfort-l'Amaury.

Le patelin somnole dans la torpeur veloutée du crépuscule (c'est bath d'avoir du style).

— La petite rue à droite ! indique Geneviève.

J'oblique. L'épicerie est là, dans un renfoncement. C'est de l'établissement modeste, avec des bocaux de bonbons collés, des

salades flétries, des oranges gâtées et des bouteilles d'eau de Javel.

Un timbre cristallin laisse tomber une note
disloquée dans la pénombre du magasin où
flottent des relents de frometon attardé.

Une vioque avec des cheveux blancs, des
dents noires et un fibrome en bandoulière
vient d'une arrière-boutique poussiéreuse
encombrée de caisses et de cageots.

— Ces messieurs-dames ? qu'elle fait en
dispersant des senteurs aillées.

Geneviève s'avance. La daronne l'identi-
fie.

— Oh ! Madame Coras, susurre la marchande de flétrissures.

Poignée de pogne déférente, roucoulade, et
comment-que-ça-va-moi-ça-va-sauf-mon-mari-
qu'à-son-asthme-qu'empire. Je commence à
me faire tartir.

— C'est votre nouveau monsieur ? demande la peseuse de denrées pas fraîches.

Geneviève est very choquée. J'interviens.

— Je ne suis hélas que l'homme d'affaires
de Mme Coras. Nous voudrions voir votre
fille afin de lui demander certains renseigne-

ments remontant à l'époque où elle était en service chez madame.

— Ah oui !

Ça lui paraît insolite sur les bords, mais elle rengaine ses objections et va les déposer dans le tiroir au gros sel.

— Où est-elle ? insisté-je en souhaitant de toute mon âme que cette dernière ne soit pas partie au Gratemoila ou à la Terre de Feu.

— Elle tient le café de la Place, sur la place, révèle la marchande de camemberts dédaignés.

— Merci.

— Vous allez la trouver changée, avertit-elle.

On décarre et on met plein cap sur la place. Les lumières de l'établissement brillent dans les vapeurs du soir. Geneviève s'apprête à descendre, mais je la stoppe.

— Je préfère que vous m'attendiez ici.

— Mais, proteste-t-elle.

Pour toute réponse, je claque ma portière.

Le troquet n'a présentement pour client que l'ivrogne du pays, un petit zig évasif aux narines évasées coiffé d'une casquette à visière noire. Il déguste un beaujolpif sincère

en comptant les chauves-souris de son déli-
rium. La patronne est derrière le rade, occupée à tricoter du poil de mouton. Je comprends pourquoi l'épicemard nous a prévenus
qu'elle était « changée ». Madame s'est fait
faire une ventouse avec une lessiveuse et elle
aurait des jumeaux avant la fin de la semaine
que ça n'étonnerait personne sauf peut-être
son mari. Elle est aplatie des pôles mais ren-
flée de l'équateur !

— Hélène, dis-je, c'est vous ?

Elle n'est pas mal, malgré sa piqûre de
guêpe et son air de ne pas avoir inventé la
fourchette à escargots. Brune, minois chif-
fonné, taches de rousseur et yeux beiges à
rayures noires.

— Oui, c'est moi, répond-elle, c'est à quel
sujet ?

— Police !

Elle en laisse choir son aiguille. Redoutant
un accouchement prématuré, je la rassure.

— Je viens au sujet de l'affaire Coras.

— Encore !

Elle pensait que c'était classe et voilà que
le passé surgit encore, implacable.

— Vous étiez au service des Coras au
moment des meurtres ?

— Oui.

— Le jour où ceux-ci se sont produits, vous étiez à Montfort en compagnie de votre patronne, n'est-ce pas ?

— On était arrivées du matin, oui.

— Mme Coras ne vous a pas quittée de la journée ?

— Si, le tantôt !

— Pour aller où ?

— A Versailles, à la Préfecture, rapport à la carte grise de sa nouvelle auto.

— Elle est rentrée à quelle heure ?

La bistrote réussit une grimace qui ressemble à une publicité pour les laxatifs.

— C'est tellement loin.

— Etait-il tard ?

— Pas tellement : sept heures à peu près.

Je passe à un autre genre d'exercice.

— Vous connaissiez Gilbert Messonier ?

— L'assassin ?

— Oui.

— Il était venu deux ou trois fois à la maison.

— Vous n'avez pas remarqué s'il faisait la cour à votre patronne ?

Ça lui chanstique la pensarde.

— Oh ! non, affirme-t-elle. Madame était une femme sérieuse. Et puis Monsieur était tellement jaloux.

L'ivrogne du pays, qui s'est rapproché, affirme sous la visière de sa quimpette de marinier que les femmes sérieuses n'existent pas. Il n'en veut pour preuve que son cas personnel : marié à une rempailleuse de chaises d'apparence très honnête, il fut encorné dans le mois qui suivit son union, et ce par un garde champêtre, ce qui constitue à ses yeux (et aux miens) une circonstance aggravante.

Hélène, l'ancienne bonne devenue taulière, questionne :

— A cause que vous me demandez ça ?

N'ayant ni le temps ni l'envie de lui répondre, je crois utile de passer outre.

— A quelle heure avez-vous appris les meurtres, le fameux soir ?

— Tard. Madame était inquiète en ne voyant pas venir ces messieurs, elle a téléphoné plusieurs fois à l'appartement, ça ne répondait pas. Alors elle a appelé le concierge de l'immeuble en lui demandant d'aller voir ce qui se passait. La porte de l'appartement n'était pas fermée en plein. M'sieur Mérové, le concierge, est entré et... il a trouvé ces pauvres messieurs, voilà !

— Servez-moi un petit blanc ! ordonné-je.

J'ai besoin de m'humecter. Il y a belle lurette que je n'ai pas liché un gorgeon de muscadet et cette intensité cérébrale me fatigue. Je sens que quelque chose cloche dans tout ça, et je n'arrive pas à piger quoi !

— Tu paies un verre, camarade ? demande l'ivrogne du cru.

Cette sollicitation terrorise la troquette.

— J' v'z'en prie, m'sieur Tourpoileau ! proteste-t-elle.

Je la calme du geste.

— Servez-en deux !

Elle obéit, n'étant point ennemie de sa recette.

— Dites-moi, jeune fille, murmuré-je, oubliant que mon interlocutrice est enceinte jusqu'aux yeux, vous aviez l'habitude de venir seule avec votre patronne à Montfort ?

— Non, mais ça nous arrivait, principalement aux débuts de saison, quand c'était qu'il y avait à faire dans la villa.

— Au fait, le crime a eu lieu à quelle date ?

Ça lui en bouche toute la surface portante. Ce poulet qui enquête deux ans après le crime, en ignorant la date de celui-ci, ne lui paraît pas catholique, ni même apostolique, et encore moins romain.

— Le 4 avril, vous pensez que je m'en rappelle !

— Quel âge avait le père de M. Coras ?

— Septante-huit !

— Il était en mauvaise santé ?

— Pas fameuse ; dites, c'est pas la première jeunesse, hein ?

— Certes ! Je trouve surprenant qu'il soit resté à l'appartement. Son fils devait avoir des occupations durant et par conséquent le laissait seul, non ?

— On l'a pas emmené à cause de l'auto de madame, m'explique Hélène.

— Je ne comprends pas.

— Si : la nouvelle était sport, toute petite : juste deux places et la capote baissée. Madame a dit qu'il valait mieux qu'il vienne avec l'auto américaine de monsieur.

— J'y suis.

Je vide mon godet et appuie une pièce sur le rade.

— Merci et excusez-moi pour le dérangement.

Je désigne son ouvrage :

— Vous tricotez pour un garçon ou pour une fille ?

Elle rosit de confusion.

— Pour un garçon, dit-elle.

— Vous avez raison, dis-je, dans un café un garçon a sa place toute trouvée.

Je serre la main cradingue de l'ivrogne et je m'esbigne.

CHAPITRE VII

Elle a son regard noyé et pourtant scrutateur, Geneviève. Elle n'ose me questionner et se tient gentiment assise sur la banquette, la jupe en bordure des genoux, le buste droit. Elle attend. Il y a dans toute sa personne quelque chose de prudent, d'anxieux et de soumis aussi.

— Avez-vous une voiture, madame Coras ? demandé-je.

— Oui.

— Qu'est-ce que c'est comme véhicule ?

Elle est surprise, car la question lui paraît nettement hors de propos. Pourtant elle répond, passive :

— Une MG anglaise.

— Il y a longtemps que vous l'avez ?

— Environ deux ans, pourquoi ?

— Ça vous ennuierait de me montrer la carte grise ?

Elle ouvre son sac et farfouille à nouveau dans ses fafs. Elle me présente enfin le document demandé. Je constate que la carte grise a été délivrée par la Préfecture de Versailles le 4 avril de l'autre année.

Je la lui rends et murmure :

— Je commence à avoir l'impression que vous mentez, chère madame.

C'est le genre d'affirmation qui remue toujours une personne de cette classe. Son regard limpide s'assombrit. A la lumière du plafonnier, je vois ses traits harmonieux se crisper.

— Pourquoi ? demande-t-elle seulement, et ce d'un ton qui ressemble au coup de griffe d'un chat.

— Vous affirmez que vous étiez la maîtresse de Messonier, or il le nie, de plus votre ancienne bonne est convaincue du contraire !

— Vous lui avez posé une telle question ? s'indigne Geneviève.

Ses grands airs ne me perturbent pas le circuit vaso-moteur.

— Je suis un flic, madame. Un flic n'a été conçu que pour poser des questions indiscrètes. D'autre part, vous prétendez avoir passé l'après-midi du 4 avril chez Messonier. Là encore, il nie. Votre bonne dit que vous étiez à la préfecture de Versailles pour faire établir la carte grise de votre nouvelle voiture. Et effectivement ladite carte porte bien la date du 4 avril ! Alors ?

Elle hausse les épaules.

— Mais c'est Gilbert ! Gilbert, vous entendez, monsieur le commissaire, qui s'est occupé pour moi de cette formalité le matin afin que je puisse disposer de mon après-midi !

Elle pousse un petit cri.

— Et puis la preuve... Le meurtre a eu lieu un samedi, n'est-ce pas ? Or les préfectures sont fermées le samedi après-midi.

C'est en effet un argument sans bavures. Je n'insiste pas.

« Toujours ce doute », comme disait le monsieur qui surveillait sa femme, au moment où celle-ci, à loilpé dans les bras d'un autre homme, éteignait la lumière.

— Donc, ce samedi-là vous avez pris votre nouvelle voiture pour aller rejoindre Messonier à Neauphle ?

— Oui.

— Allons-y !

— A Neauphle ?

— C'est tout près d'ici, non ?

— En effet !

Le voyage n'a pas l'air de l'emballer. Elle s'imaginait quoi, en venant me voir, cette souris ? Que j'allais dire à M. Samson (et Olida) de remiser sa bécane et d'aller pêcher la moule à gaufre dans le Grand Cañon du Colorado ? Les sœurs se font des idées, parfois, grosses comme des maisons de rapport.

— J'ignore ce qu'est devenu son pavillon, dit-elle.

— Oh ! il ne s'est pas envolé, bougonné-je.

Bien que son charme soit toujours aussi prenant, il est moins opérant sur le gars Bibi car je deviens professionnel en diable une fois sur le sentier de la guerre.

Nous ne mettons pas beaucoup de temps à rallier Neauphle-le-Château à notre panache de fumée.

— Où habitait-il ? m'enquiers-je.

Elle fronce les sourcils et mate le patelin avec indécision.

— Il y a tellement longtemps que je n'y suis pas venue, murmure-t-elle.

Mince, il avait raison, l'homme aux étoiles : les Français ont la mémoire courte, et

leurs bergères encore plus ! Une dame qui
venait se faire — paraît-il — renforcer la
durite dans ce bled minuscule et qui ne sait
plus, au bout de quelques mois, dans quelle
maison ça se passait, voilà qui est étrange,
n'est-ce pas ?

— Voyons, était-ce à l'entrée, à la sortie ou
au milieu du village ?

— Eh bien...

Je m'emporte autant qu'en emporte le
vent.

— En voilà assez, madame Coras ! Vous
ignorez tout simplement où habitait votre
pseudo-amant ! Avouez que vous m'avez
menti, avouez-le avant que je ne me fâche et
vous attire les ennuis que vous vaudrait votre
conduite inqualifiable.

J'en bafouille ! Mes yeux jettent des éclairs
de quoi emplir la boutique d'un pâtissier.

Elle recule, tremblante, contre la portière.

— Je vous en supplie, fait-elle, pardonnez-
moi. Oui, oui... J'ai menti. Gilbert n'était pas
mon amant, mais j'étais amoureuse de lui. La
pensée qu'on allait le guillotiner... Oh ! mon
Dieu, si vous saviez. Alors j'ai inventé cela
pour tenter de le sauver.

Ma rogue s'accentue. Si je m'écoutais, je lui filerais une avoinée de première, à cette bonne veuve ! Vous vous rendez compte que depuis trois plombes d'horloge je fais le couillon à ses côtés, remuant tout Paris et sa banlieue, encourant des wagons de foudre du Vieux, tracassant un condamné à mort qui se recueille, manquant faire accoucher prématurément une valeureuse Française qui, pour être moyenne, n'en est pas moins à son dernier mois de gestation !

Et dire que, dans le Grand Palais illuminé, une brave fille qui ne me veut que du bien, soupire après moi en ce moment devant un Vérigoud mandarine ! Elle a mis des dessous à fleurs, des dessus à fruits et de l'argent de côté pour ses vieux jours, la chérie. Elle s'est lavé les chailles avec Colgate, les tifs avec Dop et le reste à l'eau parfumée. Et moi, pauvre poire, je suis là à donner la réplique à cette mythomane !

— Vous avez toujours votre maison de Montfort ? demandé-je.

— Oui, pourquoi.

— Je vais vous y déposer. Je ne tiens pas à prolonger cette plaisanterie davantage. Et si j'étais un peu plus mufle, c'est ici que je vous débarquerais, ou au Dépôt pour outrage à magistrat.

La nuit est consternée d'étoiles, comme se plaît à le déclamer Béru lorsqu'il est dans ses jours de gastro-entérite suraiguë. Nous devrions être en train de roucouler des trucs en prose, cette nana et moi, et au lieu de ça on est dans un pétard de tous les Zeus.

Les dents serrées, les mains serrées, le cœur serré, tout serré, je refais le chemin en sens inverse. Geneviève est blême, défaite (ce qui est dommage pour une femme aussi bien faite) et n'ose l'ouvrir.

De retour à Montfort, elle me désigne pourtant sa crèche d'un geste timide et articule péniblement : « C'est ici. »

Je la débarque.

— Entrez un instant, dit-elle, il faut que je vous parle.

Cette invitation me fait tartir. Quand une gonzesse roule sur la jante, je ne m'en ressens pas pour lui tenir le crachoir.

— Faites excuse, répondis-je, j'ai du travail sérieux qui m'attend à Paris.

Mentalement je calcule que, pour peu que ma môme soit patiente et que la route ne soit pas encombrée, j'arriverai à temps pour lui jouer l'acte 4 de Monte-là-dessus.

— Je comprends votre ressentiment, monsieur le commissaire, mais je vous supplie de m'écouter.

Il est dit que je boirai le calice jusqu'à la lie. Prenant une brusque décision, je m'extrais de ma charrue et la rejoins à la grille.

Elle possède une gentille propriété, la petite marchande de vannes. C'est pas du grand bidule, mais c'est pimpant, coquet. Le genre fermette rebecquetée, avec poutres apparentes et portes-fenêtres en veux-tu en voilà quatre ! Un seul étage, des bâtiments formant l'équerre, des murs de pierre grise, une pelouse et des buissons d'écrevisse (ils sont à feuillage rouge).

— Je n'ai pas les clés, balbutie ma compagne en fouillant son sac.

Si elle compte se faire trimbaler jusqu'à Pantruche, elle peut se l'arrondir au compas. Elle le pige à mon air mauvais.

— Il faut que j'aille chez le jardinier, lui les a.

— Eh bien, allez-y ! hurlé-je, excédé.

Elle s'éloigne en direction d'une maison-

nette voisine où brille de la lumière. J'attends
dans le silence ouaté de mon carrosse.
Comme cette aventure est étrange ! Elle me
troublerait moins si je ne pensais constam-
ment à Messonier dans sa cellule et au matériel qu'on déballe du fourgon noir dans la
cour de la prison. J'avise le sac à main de
Geneviève à mes côtés. Un beau réticule en
caïman travaillé main. Chez un poulet, les
réflexes jouent sans qu'il puisse les contrôler.
Du doigt j'actionne la fermeture (pour cause
d'inventaire). C'est émouvant un sac à main.
L'explorer, pour un homme, constitue une
sorte de viol. Il me semble que si un jour
j'épouse une bergère, je ne regarderai jamais
ce que contient son sac à main.

A la pâle clarté qui tombe du tableau de
bord j'examine le contenu de celui-ci : un
trousseau de clés, un poudrier d'or, un tube
de rouge, un portefeuille avec les papiers et
de l'artiche, un bas de soie (comme Talley-
rand) de secours, une épingle de sûreté
(nationale) et un portemine à tête chercheuse.
Je crois que c'est tout et m'apprête à remiser
ce petit matériel lorsque, dans une petite
pochette latérale du sac, je sens crisser du
papier.

Je glisse deux doigts en pince de homard par l'ouverture et je ramène trois petits sachets blancs. J'ai trop l'expérience de ces trucs-là pour ne pas piger du premier coup. Par acquit de conscience — car il ne faut rien laisser au hasard, celui-ci ne méritant pas qu'on lui laisse quoi que ce soit — j'en ouvre un et flaire son contenu. Pas d'erreur : c'est de la blanche. Mme Coras se bourre le pif, c'est ce qui lui donne ce regard étrange, et c'est pourquoi elle se tamponne fréquemment les narines de son mouchoir roulé. Je croyais que c'était l'émotion, en réalité il s'agissait de la drogue. La drogue ! La réflexion du gardien de Messonier me revient en tête. Le condamné à mort se salait les poils du nez avant son arrestation. Vous ne trouvez pas cette coïncidence étrange, vous autres ? Non, parce que vous avez du duvet de canard à la place du cerveau, mais pour un flic bien équilibré elle n'est pas normale.

J'entends le bruit claquant des hauts talons de Geneviève sur le chemin. Précipitamment je glisse les trois sachets de chnouf dans ma poche, je remets les autres objets en place et referme le volet du sac.

Lorsque Geneviève rouvre la portière, elle

me trouve dans la position abandonnée d'un type maussade qui en a marre d'attendre.

Elle biche la manette de son sac et me dit qu'elle a les clés. Je la suis sans parler. La maison n'a pas été occupée depuis plusieurs mois et elle sent le bois humide. Une couche de poussière recouvre les meubles. Nous pénétrons dans une grande pièce, toute en longueur, au fond de laquelle se dresse une vaste cheminée à l'âtre gigantesque. En face il y a un grand canapé recouvert de peaux d'ours blancs.

— Nous allons faire une flambée ! décrète mon hôtesse.

C'est tout préparé dans la cheminée. Un vrai bûcher comme si on espérait la visite de Jeanne d'Arc. Il suffit de craquer une suédoise et ça crépite. Le bois fume un chouïa because l'humidité mais il prend tout de même et bientôt de hautes flammes se mettent à danser sous mes yeux fascinés.

— Asseyez-vous, monsieur le Commissaire.

Les meubles anciens brillent à la lueur du feu de bois.

— C'est charmant, chez vous, ne puis-je m'empêcher de murmurer.

L'incohérence de l'instant me frappe. Si je récapitule les dernières heures que je viens de vivre, je dois convenir qu'elles sont effarantes. Une dame me tombe sur le paletot en me disant : l'homme qui a tué mon mari est innocent, j'étais dans ses bras à l'heure du meurtre ! Sauvez-le ! Je me remue le panier pour lui sauver la mise. Je me fais engueuler par mon chef, je vais voir l'intéressé à l'ombre de la guillotine en fleurs, bref, je me livre à une ultime contre-enquête, talonné par le temps. Je fais ça à l'arraché, la lutte pour la vie et contre la montre ! Et puis, brusquement, mise au pied du mur, la dame se déboutonne (ce qui est une façon de parler). Elle susurre : « J'ai menti, j'ai voulu le sauver parce que je m'en ressentais pour ses beaux yeux, mais je ne suis pas de taille à vous faire prendre les helvétiques pour des gens ternes, alors excusez-moi docteur et enlevez votre main de la partie malade ! »

Tout ça n'est pas Franco, comme disent les enfants de puritains. C'est le chaud et froid ! Moi j'aime pas ça. Mais alors pas du tout. Voyez la trajectoire, et convenez qu'elle ressemble à celle d'une fusée ricaine. Premier temps : je me dis que la dame me raconte des salades. Deuxième temps : je crois à ces salades. Troisième temps : je ne crois plus à ces salades. Quatrième temps, des détails troublants, telle la découverte de ces sachets de coco, me font croire que ces salades ne sont peut-être pas que des salades.

— Vous prenez quelque chose ?

Elle roule dans ma direction une cave à liqueur lestée de tout ce qu'il faut pour rire et s'amuser en société. Je montre un flacon de Scotch.

C'est du Haig's spécial à étoiles.

— Versez-moi un doigt de ce machin-là.

Elle obéit. Elle a posé la veste de son ensemble. Son chemisier sans manches me découvre des bras parfaits et rend sa poitrine plus évidente.

— Vous vouliez ENCORE me parler ! dis-je, pour revenir à nos moutons.

Le encore sur lequel j'ai mis trois kilos cinq cents d'accent tonique la fait tiquer.

— Je voulais vous dire la vérité, oui, monsieur le Commissaire.

— La vraie ou l'autre ?

— Ne m'accablez pas, je suis assez déprimée comme cela.

Pauvre chérie, va ! Elle croise ses jambes

sans gaffer que sa jupe a remonté de vingt
centimètres. Ce que j'aperçois me fait penser
à tout ce que vous voudrez sauf à mon tiers
provisionnel.

— En effet, je n'étais pas la maîtresse de
Gilbert Messonier, mais j'avais beaucoup
d'amitié pour lui. Il me faisait une cour
discrète à laquelle j'étais sensible. Je lui disais
que j'avais une mentalité un peu spéciale, et
que jamais je ne tromperais mon mari. Je ne
suis pas une de ces petites coucheuses à la
Feydeau qui sortent de chez le coiffeur pour
aller dans des studios de Courcelles. Je lui
affirmais par contre que si j'étais libre un
jour, j'accepterais avec joie de refaire ma vie
avec lui...

Compris ! Madame pousse-au-crime, quoi !
J'entends le blabla monté sur inflexions
savonnées. « Si un jour les circonstances voulaient que je me retrouve seule, alors, peut-
être ! »

Et le fils du général Messonier a pensé que
ce jour de gloire pouvait bien arriver.

— Bref, tranché-je, il a tué votre mari par
amour pour vous, pour vous libérer de lui ?

Elle hoche la tête.

— Oui, commissaire. J'en suis persuadée. Et il a volé pour donner le change !

« Il pensait faire croire à la police que le meurtrier était un trafiquant de pierres. »

— En ce cas, dis-je, il a été bigrement truffe de les conserver.

— Il ne se doutait pas que l'enquête s'orienterait aussi rapidement sur sa personne. Je sais qu'il a tué pour moi. J'ai ma part de responsabilité dans ce drame, monsieur le commissaire, cette idée s'est développée dans mon esprit. Alors j'ai voulu sauver sa tête et je me suis dit qu'en témoignant en sa faveur de cette manière, j'allais peut-être créer un élément susceptible d'empêcher l'exécution.

Je l'observe. Elle parle les yeux baissés, avec application et humilité. Son index décrit des arabesques sur la peau d'ours étalée entre nous. Dit-elle la vérité ou un second mensinge ?

— Vous l'aimez ? demandé-je.

Et, en moi-même je décide « si elle te répond que oui elle ment ».

Geneviève hoche la tête.

— Non, murmure-t-elle. J'ai agi poussée par le remords. Encore une fois je me sens coupable. Jamais je n'aurais dû faire miroiter les promesses d'un futur possible à ce garçon. Gilbert est un imaginatif, un utopiste.

Il ne l'est plus pour bien longtemps. Cela, je ne le dis pas, mais je le pense intensément ; et j'évoque l'image aperçue par le judas de la cellule : ce profil émouvant, cette nuque délicate...

Un silence mou, à peine troublé par le crépitement des bûches, m'envahit. Je consulte mon subsconscient, car c'est un personnage en qui j'ai toute confiance et qui assure le dépannage lorsque — comme c'est le cas — ma gamberge fait du no man's land. Mais il répond absent à l'appel. Lui non plus ne sait pas comment réagir. Car si je passe les salades de madame au mixer je ne peux en retirer qu'une chose : Messonier n'est peut-être pas coupable !

CHAPITRE VIII

Je vide mon glass, je me dresse.

— Je vous plains, madame Coras, dis-je.

— Que faites-vous ? se lamente-t-elle.

— Je prends congé, comme on dit dans votre milieu, et je me barre comme on dit dans le mien.

Elle est agenouillée sur le canapé, le dos au feu joyeux qui ronfle dans la cheminée. Pathétique, la bougresse ! Pour lui résister, il faut avoir une volonté en nickel-chrome renforcé.

— Non ! Non ! ne me laissez pas, je vous en supplie. Vous ne comprenez donc pas que je vais devenir folle, monsieur le commissaire, si je reste seule cette nuit !

Elle m'a saisi par les revers de ma veste et elle m'attire contre elle, véhémente, farouche.

Son souffle parfumé me grise, comme chantent les mecs peinturés au safran dans « Le Pays of the Sourire ».

— Vous ne sentez pas combien je suis seule dans la vie ! Je n'étais pas heureuse en ménage, et mon veuvage est un calvaire. Oh ! il vaut mieux que j'en finisse. Oui, la mort est préférable à cette existence lamentable que je traîne interminablement.

Elle se fait plus pressante, je n'ose la repousser. C'est la vache crise de gala. Je meurs où je m'attache ! Soldats, droit au cœur mais épargnez la vitrine ! Quelle force chez un être apparemment très faible !

— Le sang de Gilbert Messonier va m'éclabousser !

Tout à coup elle me lâche et s'effondre en sanglotant sur le canapé. Je contourne celui-ci et viens m'asseoir près de la jeune femme. Elle est lovée sur les coussins. Elle a des jambes comme j'en souhaite à toutes les tables Louis XV ! Ah ! mes aïeux, quelle perspective ! Quel panorama ! Dire qu'il y a des tordus qui s'en vont aux States rien que pour mater les chutes du Niagara ! Et d'autres qui vont se faire bronzer le skating à mouches chez Nasser uniquement parce qu'on leur a causé des pyramides ! Ah je vous jure !

Je ne comprends pas que ce petit lot de perfections soit seul au monde ! Ou alors elle le fait exprès, Geneviève. La terre est peuplée de gentlemen bien sous tous les rapports qui ne demanderaient qu'à lui tenir compagnie. Pour ma part, j'en connais un qui passerait volontiers ses vacances à l'ombre de son porte-jarretelles ! Et je peux même vous refiler son blaze, vu que ça ne tire pas à conséquence : il s'appelle San-Antonio.

Ma main envahissante se pose sur la cuisse noble offerte à elle. Il y a des gestes qui sont comme des inondations : vous ne pouvez pas les contenir. La force magnétique, quoi.

Ça déclenche tout un chmizblitz. Elle réagit en me faisant face, je rétorque en lui faisant front. Le chemisier à fleurs s'effeuille comme s'il avait un coup d'automne. Je me mets aussi sec à lui faire le truc du monsieur qui jette sa casquette et qui se précipite pour la ramasser ! Farouche étreinte, façon Bourreau de Béthune ! On commence par une main blanche, on poursuit par une clé japonaise et ça se termine par un enfourchement polyvalent avec nuit sur le Mont Chauve et

vol du bourdon sous le haut patronage de la
Société protectrice des animaux.

Après cette séance de zizi-panpan, je suis à
même de vous parier n'importe quoi contre
un peu plus que Geneviève se sent moins
seule. D'ailleurs ça se voit à son regard péné-
tré. Elle me tend ses lèvres et je lui distribue
un certain nombre de baisers en bon état qui
me vaudraient ma qualification aux cham-
pionnats du monde de patinage artistique.
Après ça, il ne nous reste plus qu'à ramasser
les feuilles de rose de son corsage en lam-
beaux.

La môme revient aux réalités. Elle passe sa
main sur son front en sueur d'un geste égaré,
style « ciel, mon mari ».

— Qu'avons-nous fait ! balbutie-t-elle.

Je le lui dirais bien, mais je n'aime pas à
me répéter ; et puis il est des cas où le vocabulaire vous paraît plus indigent que l'esprit
d'un gardien de la paix.

— A un pareil instant, perdre le contrôle
de nous-mêmes, murmure-t-elle.

C'est un peu ce que je me dis. Je ne suis
pas fier de moi, mais en tout cas ça valait le
voyage. L'aller retour terre-septième ciel sans

escale c'est pas à la portée du premier lapin venu !

— Vous n'allez pas me laisser, maintenant ? demande la ravissante veuve, very anxieuse.

Il n'y a plus à hésiter. Mon rancard parisien est à la flotte et le destin de Messonier va s'accomplir sans qu'on n'y puisse rien changer.

— Non, mon ange, je rétorque, bourré de tendresse jusqu'au goulot, je ne vous quitte pas.

Voyez, les gars, je vais être franc avec vous, comme le répète un de mes amis chaque fois qu'il va me déballer une vanne, si je reste, c'est pas seulement par pitié pour cette fille, c'est surtout pour ses charmes. Je me sens une de ces intentions de remettre le couvert qui n'a pas besoin d'être affichée à la mairie de votre arrondissement. Geneviève, c'est la déesse qui, lorsqu'elle se défoule, a besoin du traitement de choc. On lui administre carrément la dose maxima.

L'aventure a pris un chemin de traverse pas ordinaire, avouez ?

Des trucs pareils, c'est à se déguiser en peau d'ours blanc ! Et comme liaison ça fait un peu funèbre, hein ? Se farcir une veuve dont le soupirant va être raccourci incessamment, c'est pas commun. Il n'avait pas pensé à ça, le marquis de Sade !

Geneviève me file un mimi qui pourrait coller trois mille timbres et va pêcher son sac sur la table.

— Vous m'excusez un instant, fait-elle, il faut que je mette un peu d'ordre dans ma tenue.

« Et un peu de farine dans mon joli naze », ajouté-je *in petto* et *in extenso*.

Je vois bien à ses yeux chavirés qu'elle a besoin d'une petite reniflette, la chérie. Elle va en faire un nez (c'est le cas de le dire) en découvrant que ses sachets de fécule alsacienne ont disparu.

J'attends en m'octroyant d'office une rasade de Haig's. Plus je connais cette femme — et vous admettrez que je la connais maintenant dans ses moindres recoins ? — plus je me dis qu'elle a un secret. Car la cervelle de votre San-Antonio chéri fonctionne avec la précision d'une montre suisse, les zenfants ! Y compris dans les moments de confusion.

Bon, voilà ma bonne veuve qui radine. Il n'y avait pas gourance lorsque je prétendais qu'elle allait à la farine. Son air déprimé et peureux m'en apprend long comme l'Amazone sur sa déception. Elle n'a plus retrouvé ses sachets de blanche dans son sac et elle est affolée car c'est l'heure du bourre-pif. Elle doit se demander ce que ceux-ci sont devenus, seulement c'est le genre d'enquête dont il est difficile de charger un Royco, même s'il vient de vous expliquer — avec projections en couleurs — le principe de la reproduction artificielle préfacé par le professeur Postcoïteume chargé de cours à la faculté de Suspenssoire.

Elle sue, Geneviève. Son front est emperlé, et ses narines frémissent. Dans son regard ensorceleur passent comme des éclairs de chaleur.

Mine de rien, j'allume une cousue.

— Vous paraissez toute bizarre, ma chérie ? lui balancé-je en loucedé.

Elle ne répond rien et dépose son dix de der près du mien. Maintenant que je me sens d'un calme olympien, je peux vous dire qu'elle est à ma merci. Si je sais manœuvrer, elle me bonnira sa vie depuis le premier sourire de sa maman à son papa jusqu'à la minute présente.

Et je vous parie l'obélisque de la place de la Concorde contre une sucette au caramel qu'elle vaut le coup d'être racontée, cette mignonne existence de bourgeoise ravissante mais refoulée, pudique et droguée, qui monte des histoires plus vite que le cirque Pinder monte son chapiteau et qui se laisse déplumer le corsage avec la passivité d'une huître (une huître qui aurait des plumes, naturellement).

— Vous m'avez fait vivre des instants de grand bonheur, Geneviève, susurré-je en confiant au plaftard une bouffée de fumaga d'un bleu azuréen.

— Vous aussi, fait-elle, en dame bien élevée qui vous passe la salière sans qu'on ait besoin de la lui réclamer deux fois.

Quelques minutes s'écoulent. Elle se lève, de plus en plus nerveuse et va pêcher la veste de son tailleur sur un siège voisin. Elle en explore prestement les vagues.

— Vous avez perdu quelque chose, mon cœur ? je demande, toujours aussi innocent que le petit saint Jean.

Elle hoche la tête sans répondre. Je passe ma patte dans ma vague et en retire l'un des sachets. Je le fais sauter dans le creux de ma paume jusqu'à ce que j'aie réquisitionné l'attention de ma folle maîtresse. Ses carreaux s'élargissent et se mettent à charbonner. Elle est croulante de questions qu'elle se refuse à poser. J'assiste à la lutte titanesque contre elle-même. La curiosité aux prises avec la dignité. Premier round d'observation, la curiosité essaie un crochet du gauche que la dignité bloque dans ses gants. Les deux adversaires cherchent leur longueur. Second round : la dignité s'abrite derrière sa garde très remontée. La curiosité tente un coup au foie, évité de justesse par une esquive tournante. La dignité porte une série peu appuyée à la face de la curiosité qui rompt. Au troisième round, la curiosité se lance au combat, déborde l'adversaire, réussit un une-deux au visage, puis place un uppercut au foie et la dignité s'écroule. Je compte jusqu'à dix. Geneviève demande :

— Tous les flics ont l'habitude de fouiller dans les sacs à main des dames ?

— Ça dépend...

— Des flics ?

— Non, des dames, et aussi de leur sac à main.

Je glisse **dans ma** fouille le sachet qui hyp-
notise tell**ement ma** compagne.

— C'est **Gilbert** Messonier qui vous a
donné cette **manie** ? fais-je gentiment.

— Je ne comprends pas.

— C'est pourtant facile. Messonier se
camait avant d'être en taule. Je suis certain
que c'est avec lui que vous avez contracté
cette habitude.

— Folie !

— Je ne vous le fais pas dire. Une belle
gosse comme vous jouer « La neige sur les
pas » deuxième époque ! Ah ! je vous
jure...

Elle tend la main.

— Rendez-moi « ça ».

Je secoue la tête.

— Macache, mon chou ! Depuis notre
folle étreinte, je veux votre salut, on va commencer une petite cure de désintoxication,
vous verrez comme après cela la vie vous
semblera plus facile à consommer, vous la
dégusterez avec une petite cuillère !

Elle a un frisson, comme lorsqu'on vient
d'attraper froid.

— Je vous en supplie, j'ai besoin de ces
sachets.

— Je ne vous les rendrai que lorsque vous m'aurez raconté votre troisième version, chère Geneviève. Moi il me faut une version par heure, c'est ma dose.

— J'ignore ce que vous voulez dire.

— Je veux dire que vous m'avez offert déjà deux récits au sujet de vos relations avec Messonier. Il va falloir m'en inventer un troisième maintenant. Parce que je sens qu'il en existe au moins un troisième, ma belle amie.

— Ce n'est pas vrai, je vous ai dit la vérité !

— Oh ! que non...

— Je le jure !

— Ecoutez, chérie, les hommes ne sont pas faits pour laver la vaisselle ni les femmes pour prêter serment.

Je vais tourner le bouton du poste de télé pour dire de créer une ambiance sonore. Et j'ai eu le nez plus creux que ma belle hôtesse vu que je tombe pile sur une émission de François Chalais. Il interviewe une starlette. La môme est vêtue d'un bikini. Elle se tient vautrée sur un divan, la tête pendante, ses cheveux balayant le tapis, les jambes par contre sur le dossier du siège. Chalais lui demande quelles sont ses ambitions. La

môme susurre d'une voix peureuse qu'elle est
très timide et qu'elle espère arriver malgré
son extrême simplicité. Son rêve ? Se trouver
dans une cabine-téléphonique en même
temps que Warner Brosse (Adam) et l'aider à
obtenir la communication. Elle se contente-
rait à la rigueur d'une croisière en mer avec
Clouzot. Ce qu'elle aime jouer ? Tout : elle a
un clavier universel, même qu'on l'a surnom-
mée l'Underwood du cinéma. Tout de même
ses préférences vont aux rôles de tragé-
diennes hystériques ou de comiques consti-
pées.

— Marrant, non ? fais-je à Geneviève.

Ça, c'est la bonne tactique. Ce qu'en langage de pêcheur on appelle « noyer la
morue » ! Je lui pose des questions brûlantes,
puis je parle d'autre chose n'ayant aucun rapport. Le chaud et froid ! Le blanc et le noir !
Rivoire et Carret. Napoléon et Joséphine !
Richelieu et Drouot. La cigale et la fourmi !
Vous mordez le topo ?

— Rendez-moi mes sachets ! insiste-t-elle.

Croyez-moi ou allez vous faire peindre la
colonne vertébrale en rouge (en violet pour
les ceuss qu'auraient les palmes) mais elle
chiale. Faut croire que ça la mène vilain, la

farine ! Ça me chavire un brin de voir pleurer cette gentille meunière par ma faute après
ce qu'elle a fait pour moi ! Le don de sa
personne, c'est quelque chose, non ? Ils sont
nombreux, notez bien, les mecs qui en ont
classe de leur première personne et qui se la
font mettre au pluriel en espérant que ça ira
mieux !

Elle est acagnardée près de la cheminée, sa
silhouette harmonieuse se découpe devant le
rideau de feu.

— La vérité d'abord, Geneviève ! fais-je
avec un ton tellement ferme qu'on pourrait y
casser des œufs contre. Le marché est honnête : je vous propose la vérité contre un peu
d'illusion. Si on analyse, c'est vous qui ga-
gnez !

— Vous n'êtes qu'un saligaud de flic !
lance-t-elle, à bout de patience.

— On fait ce qu'on peut, dis-je. Mais je
m'étonne de trouver de telles expressions
dans votre bouche experte, Geneviève.
Quand on sait se servir d'un couvert à poisson, on n'emploie pas le vocabulaire d'une
marchande de morue !

— Je n'ai rien à vous dire, espèce de
voyou !

— Pensez-vous ! Si vous me disiez ce que vous avez fait le samedi après-midi, pendant qu'on bousillait votre vieux et son daron ? Hmm ? Puisque vous n'étiez pas chez Messonier, où étiez-vous, hein ? Pas à la préfecture puisque, comme vous me l'avez fait si justement remarquer, ces honorables établissements sont fermés à ce moment-là ? Et autre chose, ma mignonne. Qui est allé chercher votre carte grise le matin ?

— Moi ! fait-elle.

— Mensonge ! Votre ex-bonne jure que vous ne l'avez quittée que l'après-midi !

Elle est baba, comme on dit chez mon ami Ali le pâtissier.

Je profite de l'avantage et je lui marche dessus comme sur une descente de lit hors d'usage.

— Alors, ma belle, la réponse ?

La réponse, elle me la cloque par retour. Je n'ai pas le temps de voir venir. Ou plutôt si, je vois venir, mais il ne m'est pas possible d'esquiver. Faut dire que c'est de la réaction pas courante. Elle a cravaté le lourd tisonnier de cuivre accroché au montant de la cheminée et me le file sur la coloquinte. Pouf ! Madame a sonné ? Je commence à compter

trente-six chandelles, j'aperçois alors Jean
Nohain, je prends peur et je recommence
mes calculs, et puis tout chavire et je m'offre
un pot de cirage noir.

Au revoir, vous tous !

CHAPITRE IX

Quand je débarque du sirop, le feu est en train de clamser dans la cheminée. En ahanant, je m'approche de l'âtre, because j'ai l'impression de revenir du pôle nord. J'ai froid aux osselets. Au bout d'un moment, la circulation se rétablit et j'ai l'heureuse idée de porter la main à ma rotonde ! Je la ramène poisseuse de raisin après avoir constaté de tactu que mon cigare est maintenant à impériale comme les autobus anglais.

Voilà qui est fâcheux pour mon esthétique. J'ai la force de ramper jusqu'à la cave à liqueurs, je chope au jugé un flacon et, ayant constaté que c'est de la fine de Charles Martell, je me dis que le Bon Dieu refait camarade avec moi. Un grand coup de remonte-pente et me revoilà potable. Je cherche alors la salle de bains afin de me colmater la coquille. Ma doué, ce qu'elle est bien constituée pour son âge, cette aubergine ! Rappelez-vous que la douce et frêle Mme Coras a dû faire du tennis pour administrer des revers pareils.

C'est mastar comme mon poing, fissuré du haut, sanguinolent et violacé. Je dégauchis un flacon d'alcool à quatre-vingt-dix dans la pharmacie de Madame, ainsi qu'une boîte de coton et je nettoie la plaie énergiquement. Il ne me reste plus qu'à m'y coller du sparadrap et à cavaler m'acheter un bitos manière de masquer les dégâts.

Ça me file des lancées terribles dans la boîte. J'ai des papillons frivoles qui font du Paris by night devant mes châsses. Pourvu qu'elle ne m'ait pas fendu la calotte, cette dévergondée ! Vous voyez pas que votre petit San-Antonio mignon devienne mou de la tronche et se propulse dans une petite voiture ?

Un nouveau coup de gnole me rassure. Ça va passer. Bien entendu, la grenouille a mis les adjas. Je fais le tour de mes poches et je m'aperçois qu'elle a récupéré ses paquets de chnouf. En outre elle a piqué les clés de ma chignole. Je cavale à la sortie : effectivement, il n'existe pas plus de voiture dans le chemin que de munitions dans la cartouchière d'un soldat de 40. La garce m'a non seulement percuté la coiffe, mais en outre elle m'a dépouillé de mon moyen de locomotion habituel.

Je rentre dans le livinge et avise opportunément un appareil bigophonique à changement de vitesse, avec injection directe, double carburateur, guidon de course et fourche télescopique. Je tourne la manivelle et, comme je parle couramment plusieurs langues, je dis : « Allô ! » Une dame me répond familièrement « j'écoute ». Fort de cette affirmation, je lui demande le numéro de mon burlingue. Mes lancées cuisantes à l'Himalaya s'estompent. Ma fureur réchauffe mon corps meurtri.

— L'immonde Bérurier est-il encore là ? demandé-je au standardiste.

Le Bignou's man me répond qu'il va s'en assurer. Quelques secondes s'écoulent, de quoi faire une demi-minute. Je me dis que le Gros est rentré chez le cétacé qu'il a épousé un jour en pensant que c'était une femme, et je mate l'heure. Mon cadran portable indique dix heures moins vingt, ce qui est son devoir !

— C'est toi, San-A. ? grommelle alors la voix suintante du Mastar.

— Tu roupillais, je parie ?

— Effectivement, dit l'autre truffe, je m'étais quelque peu assoupi.

— Alors, réveille-toi, prends ta calèche et viens me chercher à Montfort-l'Amaury. Je t'attendrai sur la place, devant l'église.

— T'es en panne ?

— Y a de ça.

— Et ta souris, toujours le coup de foudre ?

— Pire !

— Tu sais qu'elle est gironde !

— Je sais ! Arrive. Et manie-toi, sinon tu te feras jouer Manon en sanscrit.

Je raccroche. Il va falloir une petite heure au Gros pour radiner. Je me demande ce qu'a fait la môme Geneviève depuis tout à l'heure. Elle a reniflé un peu de levure, ça d'accord, mais après ?

M'est avis qu'elle s'est foutue dans un sacré merdier. Pour piger ses mobiles, faut avoir fait Normale sup ou l'Ecole polytechnique.

Si vous aimez l'incohérence, venez en chercher un panier ! C'est gratuit. Elle vient me supplier de sauver son soi-disant amant. Elle était avec lui. Ensuite elle dit que non. Et cependant... Oh ! mince ! Voilà que ça vient. Je ne sais pas si c'est le massage au tisonnier qui me développe les cellules, mais je commence à subodorer le truc. D'un seul coup d'un seul, je pige l'endroit du circuit où ça s'est mis à bifurquer. C'est à Neauphle, les gars. La môme voulait sauver à la désespérée la bouille de Messonier, ça, d'accord. Mais elle croyait que ça pouvait se faire sur sa parole, sans enquête nouvelle. Quand elle a vu que nous allions au domicile du condamné, elle a brusquement renoncé à son noble projet et *elle a fait semblant de ne pas savoir où il habitait* pensant que je considérerais cette ignorance comme la preuve de ses mensonges. Ce en quoi elle n'a pas eu tort. Ensuite elle a tout fait pour me garder auprès d'elle, TOUT ! afin que je sursoie à l'enquête. Elle préfère qu'on décapite Messonier plutôt que de me voir poursuivre mes investigations. Mais oui, je brûle. Il y a un secret plus important, plus dangereux, que le double assassinat du boulevard de Beauséjour

qu'elle ne veut absolument pas qu'on découvre. Or, à Neauphle, je risquais de le
découvrir ! Conclusion, c'est à Neauphle-le-
Château que je dois foncer.

Je piaffe d'impatience. Pour la tromper, je
réquisitionne la postière de Montfort. J'aime
sa voix vibrante aux inflexions rétribuées par
le ministère des Postes, Télégraphes et Téléphone.

Pour changer, je lui redemande le même
numéro que naguère.

— Si vous voulez Béru, c'est trop tard, il
est parti en coup de vent, m'avertit le préposé
du standard.

Un coup de vent bérurien, c'est un typhon
à la Jamaïque ! Il a dû renverser trois
chaises, deux plantons et la vieille dame d'à
côté dans sa précipitation, le Gros.

— C'est pas à l'horrible homme des neiges
que j'en ai, le rassuré-je. Tu vas donner des
instructions à Magnin pour qu'on retrouve la
voiture immatriculée 3248 FA 78. Ordre
également d'arrêter une dame Geneviève
Coras, vingt-cinq ans, toutes ses dents et
blonde comme une aurore sur la Beauce au
mois de juillet (poésie pas morte). Elle

crèche 46, boulevard de Beauséjour. Voilà,
c'est tout. Qu'on se remue.

— C'est noté, monsieur le commissaire.

Je raccroche. La bouteille de Scotch est
toujours là, tentante, parmi ses sœurs fran-
çaises, mais ces machins c'est comme les
médicaments à étiquette rouge : il ne faut
jamais dépasser la dose prescrite. A regret je
leur tourne le dos. Dans un peu de temps, un
monsieur de ma connaissance va se payer un
gorgeon de gnole sérieux, manière de se
changer les idées. Et ensuite, si je puis me
permettre ce sémaphore, c'est lui qui va trin-
quer. Or il se pourrait de plus en plus qu'il
soit innocent. Pour un philosophe voilà
matière à réflexions, les potes. La peine capitale appliquée à un innocent constitue-t-elle
une plaie plus douloureuse que lorsqu'elle
affecte un coupable ?

Le sentiment d'avoir perpétré un forfait
permet-il à un homme d'accepter l'échafaud ?
Ou celui de ne pas l'avoir mérité ne fortifie-
t-il pas son courage ? Ah ! si je m'écoutais, et si
je ne vous sentais pas frémissants d'impatience comme des mecs assistant au tirage
d'une tombola dont le gros lot serait une nuit
d'amour avec Sophia Loren, je m'en donne-

rais à cœur joie dans les idées à vertige.
Après la tartine, d'ailleurs, nous ne serions
pas plus avancés qu'auparavant ; mais les
hommes ont besoin de jouer sur les maux de
leur existence. Besoin d'en parler, de les
mesurer et de leur chercher des remèdes.
C'est après le fromage des banquets qu'on a
le mieux refait la France.

Je quitte la maison pour aller attendre le
Gros sur la place ainsi qu'il fut convaincu. Il
fait une nuit merveilleuse, veloutée comme
un pantalon de cantonnier avec un ciel qu'on
dit clouté d'or dans les bouquins de mes
confrères primés aux concours agricoles. Une
nuit à faire bâiller de nostalgie tous les chats
coupés de la région. Un vent léger fait fris-
sonner les frondaisons. Je me dis que ça renifle bon la vie et que si Messonier respirait
un centimètre cube seulement de cet air-là, il
dirait au bourreau de repasser un autre jour
et de repasser son couperet ou son manuel du
parfait petit décapiteur en attendant.

La coquette agglomération (Guide Bleu
dixit) sommeille. On ne voit que peu de
lumière. Le rural en écrase déjà, le résiden-
cier secondaire mate la télé. Un chien préoc-
cupé longe l'étroit trottoir en s'arrêtant fré-

quemment pour identifier des odeurs et pour les mépriser.

La bosse que m'a offerte ce chameau de Geneviève me picote. Avouez que c'est tout de même pas un turbin de toujours prendre des gnons ! Si je facturais mes cicatrices à l'administration, je ferais fortune. Enfin, la viande de perdreau est faite pour recevoir du plomb, non ? Je m'assieds sur les marches de l'église en attendant mon éminent et volumineux collaborateur.

Si mes calculs sont exacts, comme disait un mathématicien qui souffrait du rein, il ne devrait pas tarder. Le Gros a un bon coup de volant. Il pilote sa chignole comme un marchand de marrons pilote son chaudron. A ces heures, les routes sont dégagées et on peut se payer des pointes à condition de ne pas rencontrer de clous. Effectivement, dix minutes plus tard il débouche sur la place dans un sauvage miaulement de freins qui fait ouvrir les volets d'alentour.

Je m'avance.

— Qu'est-ce que t'as ? demande-t-il en découvrant mon œuf de Pâques, t'as trinqué avec une bordure de trottoir ?

— Non, j'ai donné un coup de téléphone trop violent.

Je claque la portière.

— Comment ça se fait que tu soyes sans charrette ?

— J'ai prêté la mienne à une dame qui ne me l'a pas demandée.

— La gonzesse de ce soir ?

— Oui !

Il pouffe, bien que n'étant pas paf en se grattant le pif.

— Dis, elle a des drôles de manières, ta fille de la haute.

Comme je n'ai pas le cœur à écouter ses considérations, je tranche :

— Tu sais aller à Neauphle ?

— Et comment, j'ai un cousin à Berthe qui y habite. Quand je dis cousin, note bien, je force un peu. C'est le fils du beau-frère de la belle-sœur du père du frère du père de ma femme. Il cultive la légume. Si tu voyais ces champs d'épandage ! Il fait venir la m... de Paris, paraît que c'est la meilleure. Lui, sa spécialité c'est le poireau.

— Tout le monde ne peut pas cultiver la Légion d'honneur, renchéris-je.

— Qu'est-ce tu débloques ! grommelle le Gros en ratant sa troisième.

La boîte à vitesses gueule comme un monsieur affligé d'un cor au pied sur lequel il vient de laisser tomber un bahut normand en merisier taillé dans la masse.

— Martyrise pas ces pauvres bêtes, conseillé-je, sans quoi tu auras des ennuis avec la S.P.D.A.

— Quelles pauvres bêtes ?

— Les onze chevaux de ton attelage, Gros. Et conduis-moi chez ton faux cousin de Neauphle.

— A ces heures ! s'étonne le pestilentiel Béru.

— Oui, j'ai justement besoin d'interviewer un neauphlier.

Bérurier le preux n'insiste pas. C'est l'homme qui ne dit rien, qu'on sent !

CHAPITRE X

Il est onze heures et des fourmis quand on s'annonce à la ferme du cousin Mathieu. Contrairement aux pronostics que je faisais, les habitants ne sont pas dans les torchons vu qu'ils ont une normande en train de vêler. Les nabus vous le diront : c'est toujours à la nuictée que les apprentis bœufs viennent au monde.

La brave vache appelle sa mère dans sa langue et ce de façon déchirante.

Le Béru s'avance vers l'étable, du pas d'un homme qui a été taureau dans une vie antérieure ou qui est devenu bœuf dans celle-ci.

— Alors ! lance-t-il joyeusement, comment que ça va, le cheptel !

J'aperçois trois personnages assez surprenants. Le cousin Mathieu d'abord, gros, en bras de chemise avec un gilet noir et une

moustache dessinée à l'encre de chine. Le
gars bien : verrue à aigrette sur le nez aux
poils à l'intérieur et calvitie blafarde se
découpant au ras du visage hâlé comme un
œuf dans son coquetier.

Il est assisté d'un garçon de ferme fourni
par l'Assistance Publique, long, creux, roux
et qui conserve la bouche ouverte en permanence, ce qui doit être bien commode
lorsqu'il a envie de bâiller. La fermière
complète le trio. C'est une aimable dame
dont la principale caractéristique est le
chignon. Elle doit y loger ses économies, c'est
pas possible autrement ! Ou alors elle y fait
couver des canards de Barbarie ! Elle tient à
la main une lanterne qui ne nous a pas entendu venir vu qu'elle est sourde. Sourde
mais pas aveugle, aussi répand-elle dans
l'étable des reflets à la Rembrandt. Les autres
vaches somnolent en rêvassant à un insémi-
nateur qu'elles ont beaucoup aimé. Il y a
également une chèvre, dans un coin, avec des
cornes plus belles que celles de Béru !

Le fermier dit ce qu'il a à dire en pareilles
circonstances, à savoir : « bonjour cousin,
quel hasard » et la fermière se tâte le chignon
d'un geste peureux pour s'assurer qu'il est

présentable et en équilibre. Quant au garçon
de ferme idiot, puisqu'il a la bouche en
entrée libre, il en profite pour rigoler.

Le chien de la ferme, un délicieux bâtard
issu du croisement d'un berger allemand avec
une voiture à bras, vient nous renifler les
targettes, l'air mécontent qu'on entre sans
mugir gare dans la clinique. Il s'appelle
Black, étant donné qu'il est jaune et blanc et
il porte coquettement un collier en fil de fer
barbelé.

Béru me présente en appuyant au maxi sur
mon grade. Ça impressionne les accoucheurs
qui s'essuient les paluches à leurs futaux
avant de m'en serrer cinq.

— Vous prendrez bien quéque chose ?
s'inquiète le fermier.

— Un calva, décide le Gros. Mais t'as pas
peur que ton bestiau accouche pendant qu'on
trinquera ?

— C'est pas pour tout de suite, informe le
cousin Mathieu qui s'y connaît.

On rabat à la ferme. Je laisse Béru raconter
les varices de sa Berthe, le phlegmon de son
ami le coiffeur et sa nouvelle bagnole (une
Hardy-Petit 1904 de style gothique à jantes
ovales et pneus pleins) avec laquelle il

compte réaliser des moyennes époustou-
flantes.

Pendant qu'il précise, la fermière est allée
chercher la boutanche de calva (elle ne l'avait
pas dans le chignon) et nous a servi de
copieuses rasades. On trinque solennelle-
ment, façon Serment du jus de pomme.
L'idiot du village avale son verre plus vite
que les autres, toujours à cause de cette
avance que lui donne l'ouverture constante
de sa panoplie à molaires. Là-dessus, ayant
déclaré le breuvage excellent, j'attaque les
fermiers sur le sujet qui me préoccupe.

— On enquête sur l'affaire Coras, vous
vous rappelez ?

Le cousin du Gros hennit (hennit soit qui
mal y pense).

— Encore ! C't' un truc classé, non ?

Sa conjointe qui lit volontiers Détective
lorsqu'elle va se faire rectifier la pyramide
chez le coiffeur du coin intervient.

— C'est-y que le gars Messonier a eu son
pourboire en grâce qu'on l'a pas z'encore
guillotiné ?

Elle s'indigne, la vertueuse piétineuse de
fumier. Elle est pour la décollation. D'après

elle, quand on tue le pauv' monde on ne mérite pas de pitié.

— Vous l'avez connu, ce Messonier, non ? tranché-je, il avait une maison dans la localité, m'a-t-on dit ?

Elle pousse son bonhomme du coude.

— C'est drôle, Pétrus, tu trouves pas ?

Pétrus, qui n'a pas plus d'humour qu'un corbillard en panne, branle le chef. Sans se laisser décourager par cette mimique inexpressive sa bourgeoise explique :

— Il habitait la maison qui touche la nôtre !

Y a des cas où on se sent partant pour acheter des biftons de la Loterie. Notez qu'au tirage on dégode un chouïa vu qu'on passe devant la montre. Vous trouvez pas formide, vous autres, que le hasard, sous les auspices de Béru et de Beaune réunis m'ait guidé tout droit chez les voisins de Messonier ? Eh bien, moi si !

— Elle lui appartenait ?

— Non. C'est un logement qu'est à M. Vermi Fugelune, l'acteur. L'année des crimes, il est allé tourner une pièce de cinéma à Hollivode. Alors, comme Messonier était

un de ses amis, y lui avait laissé sa maison
pour la saison.

— Et depuis le procès, quelqu'un habite
ici ?

— Oui : M. Vermi Fugelune y vient l'été
et les véquendes avec d'autres z'acteurs. Si je
vous disais que dimanche passé on a eu Mine
Derrien, l'actrice. Même qu'elle est entrée ici
chercher des œufs frais !

Nous nous exclamons devant une telle
manifestation de la Providence. C'est vraiment un cadeau du Ciel, non ? Biner des bet-
teraves, tirer des veaux, et cuire la soupe à
longueur d'année et avoir à domicile, en guise
de prime, une gloire de l'écran, ça veut bien
dire qu'on est un privilégié, non ?

Les Mathieu en ont conscience mais, en
gens modestes, n'abusent pas de leurs préro-
gatives. Des profondeurs de la nuit, la vache
lance un S.O.S. à la maison Prénatal. Le cousin Mathieu s'excuse et va aux nouvelles, es-
corté de son crétin personnel. Nous demeu-
rons avec la cousine Amélie. Le Gros lui sourit et, pour me montrer qu'il a ses aises chez
les nabus, il passe une main familière sur la
croupe de la pin-up au chignon. La fermière
se croit obligée d'émettre un rire à épisode,

remboursable par tirage annuel, qui fortifie l'audace de mon coéquipier.

Comme nous ne sommes pas venus là pour batifoler dans le fumier, je romps le silence équivoque qui vient de s'établir :

— Vous souvenez-vous du jour du crime, madame Mathieu ?

L'enchignonnée fronce ses sourcils abondants.

— Quel crime ?

— Je veux parler des meurtres de MM. Coras père et fils ; vous avez dû lire l'affaire dans les journaux, le lendemain ?

— C'était à la première page ! rétorque-t-elle pour montrer qu'elle a une mémoire aussi éléphantesque que sa croupe.

— Bravo ! encouragé-je. Dès le surlendemain, Messonier était en état d'arrestation.

— Xactement !

— C'est pourquoi je fais appel à vos souvenirs, chère madame ! Les meurtres furent perpétrés un samedi. Messonier a donc été arrêté le lundi. Vous rappelez-vous s'il est venu à Neauphle le samedi ?

Elle entrouvre la bouche pour mieux réfléchir. Ça doit être une habitude dans la

strass ! Son cervelet fait des bulles. Le garçon de ferme qui est revenu de l'étable assiste
à ce numéro mnémonique pour lequel Bruno
Coquatrix payerait le cachet des super-galas.
Et c'est en somme normal que l'idiot y assiste
puisqu'il est de l'Assistance. Ça lui écarquille
en outre les yeux et les narines. M'est avis
qu'avec ses orifices béants il risque de s'en-
rhumer.

La fermière, sollicitée par le massage
crouptal de Béru, essaie de mettre le paquet.
Quand on lui bassine le bassin, ça l'aide à
penser.

— Vous dites que ces crimes y z'ont z'été
empêtrés le samedi ?

— Si fait, madame !

Alors nous assistons à un miracle plus stu-
péfiant que celui de Fatima. On attendait
Grouchy : c'est Blücher qui se pointe. Entendez par là qu'au lieu d'Amélie, la fermière au
chignon à impériale, c'est le demeuré à la
bouche végétative qui répond. Il a tout entendu, mes questions ont fait leur chemin jusqu'à son embryon de cervelle. Il y a eu un dé-
clic, quelque chose, j' sais pas quoi, ce que le
maréchal Joffre (ma tournée) appelait les im-
pondérables, et voilà mon rouquin qui donne

un solo de cordes vocales au moment où on ne s'y attend pas.

— Le m'sieur que vous causez à la patronne, l'est venu l' samedi que vous causez qu'à eu les crimes que vous causez !

Je tourne vers le ramasseur de paille souillée mon fin visage aux yeux expressifs. D'accord, le gars ne sera jamais secrétaire perpétuel à la Cadémie, pourtant son langage dépouillé comme une peau de lapin me va droit au cœur comme si je m'appelais Ney.

— T'es sûr, mon gars ? fait Béru qui sait parler aux hommes en général et aux crétins de village en particulier.

La môme au chignozoff prend les patins de son gardien de ruminants.

— Si Célestin le dit c'est que c'est vrai. Il a une mémoire que vous pouvez pas savoir à quel point !

Fort de cette ratification, je biche familièrement le bras de Célestin.

— Comment que tu sais que c'était ce jour-là, mon garçon ?

Alors, le mec, sans avoir ligoté jamais les grands philosophes, me fait cette réponse plus imparable qu'un coup de fleuret de d'Oriola :

— C'était ce jour-là à cause que c'était ce jour-là !

Béru lui-même en a le cerveau qui craque d'admiration. Je n'insiste pas. Il vaudrait mieux essayer de briser Durandal sur un rocher qu'expliquer à Célestin que l'erreur est une chose humaine, possible, admise, avec laquelle il faut compter, surtout lorsqu'on pratique le métier discutable de poulet assermenté.

— Il est venu quand ?

L'autre tomate pas fraîche renifle une étonnante stalactite, imparfaitement d'ailleurs, et en étale le surplus sur la manche de sa veste.

— J' sais pas quand, mais j'allions faire ferrer not' jument, vu que le lendemain c'était la fête z'au village et qu'a devait tirer une écharretée de fleurs !

— C'est vrai ! exulte Amélie Mathieu en repiquant judicieusement une épingle vadrouilleuse dans son chignon. Les crimes ont été pénétrés la veille de la foire d'ici.

Du coup, je commence à faire confiance aux dons mnémoniques du rouquinos. Il rumine un rire lugubre de dément. Là-dessus, Mathieu se pointe, la moustache plus en guidon de course que jamais et se met à enguirlander l'idiot de première vu qu'il y aura de la tête de veau dans les chaumières avant longtemps et qu'il est seulâbre à se farcir la césarienne de Madame ! On sent qu'on l'importune. Ce qui compte, pour lui, ce ne sont pas les vaches de la maison Pouleman, même lorsqu'elles lui sont apparentées, mais celles qui mugissent dans son étable.

— Une seconde, fait sa femme. On cause !

— La Blanchette aussi, cause, riposte le nabus, et a dit même que ça presse vous causerez t'à l'heure.

J'interviens.

— Plus qu'un mot, monsieur Mathieu, si vous permettez.

Et, sans attendre son autorisation, je repars à l'assaut de Célestin.

— Comment sais-tu qu'il était chez lui, Messonier, tu l'as vu ?

— Non, mais j'ai vu son auto dans la cour. Avec deux autres, une rouge et une noire.

— Il avait quoi lui-même, comme voiture ?

Le crétinuche se plonge le doigt dans les

fosses nasales, et grume le fruit de ses investigations.

— Une verte, dit-il après une période d'intense délectation.

Pour sa pomme, ce qui compte le plus dans une guinde, c'est sa couleur, preuve qu'il n'est pas daltonien.

Le fermier agacé complète l'information.

— Il avait une Frégate verte.

— Merci. Pardonnez le dérangement. On vous laisse.

— C'est rapport à ma vache, s'excuse civilement Mathieu.

— On sait ce que c'est, affirme Bérurier à qui rien de ce qui touche aux bovins n'est étranger.

Et pour bien montrer à sa famille qu'il a un esprit répertorié par Vermot il lance :

— Quand le veau est tiré, il faut le faire boire.

CHAPITRE XI

La séparation est cruelle mais nécessaire. Le trio des bouseu's brothers cavale à l'étable tandis que je reprends la route aux côtés de mon valeureux compagnon d'insomnie.

— Où qu'on va, demande le Gros, à la drume ? J'ai une de ces envies de coucouche-panier qui tiendrait pas dans un n'hamac.

— On va à trente mètres d'ici, fais-je, péremptoirement.

Il grogne en arrachant d'un geste sec un poil de son nez.

— Je m'en gaffais que t'allais vouloir explorer cette maison.

— Ça prouve que tu connais à fond l'homme d'élite que je constitue.

Le Gravos s'emporte — ce qui constitue un exploit lorsqu'on pèse, comme lui, cent vingt mille grammes.

— L'homme d'élite me court sur...

Là il cite le nom d'un étrange parcours que je ne souhaite à personne, pas même au morbach le plus antipathique.

— A cause de c't' homme d'élite, je mène une vie de galérien ! Jamais dans les toiles en même temps que ma femme ! C'est pas une vie.

— Heureusement que tu n'es pas dans les toiles en même temps que ta doudoune, fais-je remarquer, à trois vous ne seriez pas à l'aise pour pioncer.

— Qu'est-ce que tu oses insinuer ?

Ayant fulminé, il tousse, j'en profite pour descendre de sa charrette fantôme et pour m'approcher du pavillon jouxtant la ferme des Mathieu. Il s'agit d'une charmante maisonnette en pierres plates, à demi couverte de vigne vierge aux feuilles vernissées qui miroitent doucement sous la lune. (Pour les ceuss qui aiment les descriptions poétiques, je tiens à préciser que je travaille aussi à façon et que je prends des commandes moyennant un droit d'inscription de vingt-cinq francs.)

Une barrière blanche cerne la petite propriété. La sauter n'est pas difficile pour un

homme entraîné. Le Gros qui veut m'imiter
est moins souple que son valeureux chef et,
bien entendu, ne manque pas cette occasion
qui lui est offerte de s'empaler sur un pieu
acéré. Ce serait Charpini, il n'y aurait pas de
mâle, mais Béru est un timide qui ne s'est
jamais accordé plus que de parcimonieux
suppositoires, aussi se met-il à bramer. Je le
dégage de sa fâcheuse posture. Il se fait un
massage du fion et se penche en me demandant si son pantalon est endommagé. Le fond
de ce dernier n'est plus qu'un souvenir.

— Tu peux dire que ton falzar a eu une
belle mort, dis-je en hochant la tête. C'est
bien celui que tu avais acheté d'occasion en
1928 au Carreau du Temple ?

— Je veux pas le savoir ! tonne le Gros.
Faudra me carrer ça sur une note de frais,
commissaire de mes choses ! C'est pas assez
de laisser sa viande dans ce métier, faut aussi
sacrifier ses fringues ! Qu'est-ce qu'elle va
dire, ma Berthe, en me voyant rappliquer
comme ça ! Hein ? Sans compter que je me
suis fait un mal de chien et que je vais avoir
le valseur consterné d'esquimaux demain.
Suppose que je me fasse un levage, tu me
vois déballer ma viande avariée ?

— T'auras qu'à fermer les rideaux et ôter l'ampoule électrique avant de te dessaper, mec. Et puis dis-toi bien que ce que tu as de plus décourageant, c'est pas ton dix de der, mais ta figure. La nana assez hardie pour tenter l'épreuve se moque de ton armoire à deux portes, même si elle est becquetée des mites, espère !

Tout en échangeant ces menus propos, nous avons atteint la porte de la maisonnette. Vous le savez, depuis le temps qu'on se connaît et que je vous en parle, j'ai toujours in my pockett mon sésame, délicat instrument qu'un ancien truand m'a offert un jour que j'avais eu des indulgences pour lui. Ce chef-d'œuvre de la serrurerie moderne permet de délourder les serrures les plus récalcitrantes. Il m'est même arrivé de convaincre un coffre-fort avec cet appareil, et il n'était pas en fromage mou, je vous le jure sur la tête de loup de votre femme de ménage ! Aussi le verrou dit de sécurité de la maison constitue-t-il un amuse-gueule en l'occurrence.

— T'as quand même des drôles de manières, fait le Gros en pénétrant dans l'auberge à ma suite. T'es là, t'entres chez les

gens comme dans un moulin transformé en
bistrot ! Enfin quoi, c'est pas à Messonier,
cette crèche, mais à un artiss renommé. Si
jamais il apprend qu'on l'a violée, il portera
le pet, ne serait-ce que pour se faire de la
publicité ! Et alors !

— Ta bouche, B.B. (abréviation de Benoît
Bérurier).

La maison est très « artiss » en effet,
comme son proprio. Il y a une espèce d'atelier avec un pan de mur entièrement vitré
donnant sur la vallée ; et puis une chambre et
une cuisine.

— Tu cherches quoi z'au juste ? s'informe
Béru, loquace depuis qu'il a une prise d'air
au derche.

— Je renifle !

— Et tu comptes renifler quoi ? Ça fait
dix-huit mois que Messonier habite plus
cette cabane et que des flopées de dégourdis
y ont fait des javas monstres ! T'espères des
indices ?

— La seule chose que j'espère intensément, Gros, c'est que tu te colles de la cire à
cacheter sur la menteuse !

— Bon, bon !

J'ajoute, farceur et plein d'esprit comme à l'accoutumée :

— Glaçons, caramels !

Le mahousse s'abat dans un fauteuil. Il se relève presque aussitôt car il vient d'apercevoir une bouteille de quelque chose sur un meuble et, d'instinct il est pour. Bérurier subit la fascination de l'élément liquide. P't'être qu'il a été poisson autrefois ?

Avec lui on ne peut pas dire. Son mariage avec une baleine, c'était déjà du cygne !

Manque de pot, c'est du vernis à parquet. Il enrage :

— Tu te rends compte ! Les gens de cinéma, ça doit écluser pourtant, faut pas me faire croire que Vermi-Fugelune va acheter du pinard à la tirée au charbon du coin !

Je ne lui réponds pas. Je renifle en effet. J'aime m'imprégner de l'atmosphère. Donc Messonier a eu la jouissance de cette maison. Le jour des meurtres il y est bel et bien venu. Du moins sa voiture s'est trouvée ici, pour tenir compagnie à celle de Geneviève Coras. Car le cabriolet rouge était le sien... Elle m'a bel et bien menti en me disant qu'elle avait menti. Vous suivez le topo ? Conclusion, si elle était en compagnie de Messonier, il n'a pu tuer les Coras. Pourquoi cette grenouille n'a-t-elle pas voulu que je vinsse ici ? Voilà la clé of the problème. Voilà le point à élucider.

Le Gros a cherché la lourde de la cave et l'a trouvée. Il disparaît. Moi je fais le tour de l'atelier, celui de la chambre et de la cuisine (le plus rapide car elle mesure quatre mètres carrés).

Rien ! C'est apparemment une petite maison sans histoire. Je sors dans le jardin (in english the garden). La nuit est étoilée, les pelouses mal tondues, et les massifs un peu exubérants. Un jardin de rentier en voyage !

Pourquoi ai-je cette stupide idée dans le mou ? Pourquoi me figuré-je que c'est pour éviter de venir dans ce coin paisible que Geneviève m'a fait son cinéma ?

— T'admires la voie lactée ou bien tu cherches un spoutnik ? demande le Gros.

Il est d'excellente humeur car il vient de dégauchir une bouteille de champ' à la cave. Il la promène comme le Saint Sacrement en retardant le moment de la déboucher.

— Tu vas me goûter ce nectar, San-A. ! Du Dom Pérignon, j'en ai bu une fois quand

on a été invité à la partie de chasse de Jean
Névudotre, tu te rappelles, le fabricant de
jarretelles que je lui avais démasqué son
voleur de faisans !

— Reporte cette bouteille où tu l'as prise,
obèse malodorant.

— Quoi !

— Ecoute, Béru, je veux que nous nous
introduisions nuictamment et par effraction
dans la demeure d'un honnête acteur, mais de
là à lui licher son Brut, il y a un pas que je ne
peux me résoudre à franchir.

Joignant le geste à l'éloquence, je cramponne la bouteille. Il est ulcéré, le pauvre
lapin.

— T'aurais bien fait à la Gestapo, toi,
assure-t-il, pour les tortures morales, tu ne
crains personne. Bon ! eh ben, puisque tu
joues les objectifs de conscience, va la repor-
ter toi-même moi je m'en sens pas le courage.

J'hésite à lui abandonner la bouteille, mais
je me dis qu'il n'y a aucune raison pour que
nous buvions le champagne de Vermi-Fugelune. A ce compte-là, grâce à mon sésame et
fort de ma qualité de matuche, je n'aurais

qu'à effractionner les villas inoccupées lorsque j'ai soif.

Je descends donc à la cave pour remettre la boutanche en place. Bien m'en prend, car la réserve de liquide du propriétaire est modeste. Les acteurs préfèrent s'acheter du voyant plutôt que d'approvisionner leur cave. Il y a une caisse de Dom Pérignon et une autre de Juliénas.

Si nous avions éclusé ce flacon, son absence se serait fait sentir et Vermi-Fuge-lune, à moins d'être un farfelu, aurait cons-taté son décès, ce qui n'aurait pas laissé que de le surprendre (ainsi s'exprimait-on boule-vard Saint-Germain avant l'invasion des rats de caves).

Vous ne voyez pas qu'il dépose plainte et qu'une enquête menée par la gendarmerie découvre que...

Je grelotte de trouille à cette pensée. Le chemin de la gloire et de l'honneur est celui que j'ai toujours adopté. Ça m'a valu du reste bien des emmouscaillements !

Ayant déposé parmi ses sœurs la bouteille kidnappée, je m'apprête à regrimper à l'air libre lorsque mon attention vigilante est atti-rée par quelque chose d'assez surprenant.

Il s'agit d'une série d'écaillures blanchâtres dans le mur gris de la cavouze. Pour qui a de l'œil (et même pour qui ne l'a pas) ces marques sont significatives : il s'agit de traces de balles. Les murs de Paris meurtris par les batailles de la Libération nous ont habitués à ces sortes de trucs.

Je compte les stigmates. Il y en a six, soit un chargeur complet.

Assez bien groupées à mon avis, il est vrai que dans ce local exigu, un tueur à gages manchot ne manquerait pas un fils de famille ! Certaines marques sont moins prononcées que les autres, ce qui m'amène à penser qu'avant d'écailler la pierre gaufrée de salpêtre elles ont peut-être bien traversé la bidoche d'un mec.

Mon examen se prolongeant, je suis rejoint par le très honorable Bérurier.

— Espèce de ceci-cela ! glapit l'enflure, je parie que tu te l'es farcie seulâbre, la rouille de Dom Pérignon ?

— Ta hure ! rétorqué-je avec cette noblesse de verbe qui est le signe probant de ma parfaite éducation. Mate un peu ça, Gros.

Il pose sur la paroi son regard d'hépatique

d'abord, ses doigts boudinés ensuite et formule son diagnostic sans l'ombre d'une hésitation.

— Traces de balles. Et crois-moi, c'était pas du pruneau d'agent, mais du calibre de grande personne ! Vise-moi ces trohus !

— T'aurais pas l'idée qu'on a assaisonné un monsieur dans cette cave, Béru ?

— Tu parles ! Et il a dû comprendre sa douleur.

Du coup, le sous-sol de Vermi-Fugelune me paraît maléfique. Est-ce un méfait de mon imagination généreuse ? Toujours est-il que j'y sens flotter comme une odeur de mort.

Béru, tel un chien de chasse de l'espèce fin limier, fouinasse dans la cave, le groin survolté. Il est tout ce qu'on voudra, le Gros, et plus encore ; mais quand on marche sur le sentier de la guerre il a le radar vachement sensible. Une sorte de sixième sens, quoi. Et c'est précisément ce sixième sens qui lui a permis de faire carrière dans la poularderie au lieu d'aller vendre des merlans dans le désert de Gobi.

Il tire les caisses de vin et examine le sol. Puis il les remet en place et s'approche d'un tas de charbon.

— Tu cherches un cadavre ? je demande.

— Pas toi ? rétorque-t-il pertinemment.

Et d'ajouter, la métaphore bien affûtée :

— Quand tu vois un autobus arrêté, tu peux te dire que son chauffeur n'est pas loin.

Un tel sens de l'image, une telle force d'évocation me déroutent.

Le Gros empoigne une pelle à charbon et se met à déplacer le tas d'anthracite, ce qui ne constitue pas un exploit herculéen vu que s'il y en a cinquante kilos, c'est le bout du monde. Cette baraque se chauffe au mazout et le charbon n'est là qu'en dépanneur.

Quand le déplacement de combustible est achevé, le Béru ressemble à un ramoneur. Courageusement, mû par une force mystérieuse, il creuse, creuse que c'en est une bénédiction, comme dirait Mme Julie Laplume-Audaire, la célèbre romancière, celle qui a obtenu le prix Julie Laplume-Audaire, pour un livre intitulé « Julie Laplume-Audaire, sa vie, son œuvre ».

Lorsqu'il a pratiqué ce que les spéléologues nomment une excavation et les fossoyeurs un trou, profond de quatre-vingt-deux centimètres virgule trois, il s'arrête. Son maquillage noir ruisselle sur sa face généreuse.

— Mes f... ! dit-il.

Ce cri marque un échec, comment en serait-il autrement !

Il essuie son visage prolétarien avec un ignoble mouchoir et lève les bras en signe d'impuissance.

— On s'a gouré, mec, fait-il, y a pas de viande froide dans la strass.

Aussi sec (et comment !) il enchaîne :

— Tu vas pas dire que j'y ai pas droit au coup de roteux, hein ? Maintenant qu'on y a chamboulé le sous-sol, à ta vedette, on peut bien lui signer le travail en évacuant une rouille !

Il est des requêtes que les cœurs les plus endurcis ne peuvent repousser.

— D'accord !

En moins de temps qu'il n'en faut à un producteur de films pour signer un chèque sans provision, le Mahousse a décoiffé un flacon et s'octroie l'ivresse qu'il détient. Il biberonne ça comme s'il s'agissait d'un quart Perrier. Ensuite de quoi il émet avec satisfaction les bruits consécutifs au gaz absorbé et déclare en désignant l'étiquette :

— Moi, j' suis pour la réunion de l'Eglise et de l'Etat. On trouve toujours des terrains d'entente, tu vois...

Pendant qu'il s'affairait, j'ai pratiqué à tout hasard quelques sondages alentour, mais sans résultat.

— Faudrait peut-être farfouiller dans le jardin, dit Béru qui s'en ressent pour le retour à la terre depuis qu'il a vu ses cousins les marchands de bouses.

— On n'a pas le temps maintenant ! Viens.

Je regarde ma tocante et j'ai un pincement au battant. Deux heures vingt ! D'ici un couple d'heures, on fera toc toc à la lourde de Messonier pour le conduire en grande pompe (42 fillette) à l'abbaye de Monte-à-Regret.

— J'espère qu'on rentre se zoner, fait Béru d'un ton bien décidé à ne pas admettre la controverse.

— D'ac, on rentre. Tout ce que je te demande, c'est de me déposer à la maison avant.

— Avec plaisir, assure mon « subaderne », d'autant mieux que Saint-Cloud est sur ma route !

— Il ne s'agit pas de mon domicile, mais de la Grande Maison.

Il hausse les épaules et rate une marche glissante.

— Tu vas encore à l'atelier à ces heures ! Qu'est-ce qui t'arrive ?

Avec son falzar béant, il a bonne mine.

— Ça n'est pas à moi, mais à un loustic de mes relations qu'il va arriver quelque chose. Allez, go !

J'éteins la lumière et je relourde l'isba.

CHAPITRE XII

Trois heures dix ! Le Gros a fait fissa. La maison poulardin est silencieuse comme les premiers films de Charlie Chaplin.

Quelques lumières mélancoliques brillent çà et là dans la façade noire. Une lance fine vase sur Paris. Ça renifle la désespérance et la gueule de bois dans la capitale en ce moment ! On a l'existence qui se bloque un peu. Si je n'étais pas le quart de la moitié d'une truffe, j'irais me carrer dans les serviettes et j'oublierais Messonier, la môme Geneviève, celle qui joue les amantes religieuses en bigornant les ceuss qu'elle honore de ses faveurs ! et les trous de balle neauph-liens. Seulement voilà, quand le ravissant San-Antonio (publicité Jean Mineur, Balzac de justesse) plante ses chailles dans une affaire, vous pouvez toujours essayer de lui

faire lâcher prise, mes gentils Seigneurs !
C'est macache !

— Je te laisse, bâille le Gros que le
champ' a mis out autant que la fatigue et
l'insomnie.

Il est vidé comme un vieux sifflet.

— C'est ça, va retrouver ta bergère, et
sonne fort avant d'entrer pour que le coiffeur
ait le temps de se planquer sous le pageot !

— Bougre de...

Il n'achève pas, ou s'il achève je ne
l'entends pas car je suis déjà à l'intérieur de
la cabane coup de bambou !

Le préposé en écrase sur son standard. Il a
le képi en guise d'oreiller, ce qui lui donne
l'air crâne, car il est chauve comme une poignée de porte. Je l'éveille d'une tape de trois
livres sur la coquille.

— Hé, Martial !

— C' que c'est ?

— Vous dormiez ! grondé-je en me donnant l'air meuchant.

— Pas du tout, monsieur le commissaire,
bredouille l'autre pomme, je réfléchissais.

— Vous réfléchissiez à un matelas épais
comme le Bottin ! Demandez-moi le Vieux
dare-dare !

— Mais...

— Quoi ?

— Il n'est pas arrivé, vous savez l'heure qu'il est ?

— A son domicile, voyons.

Ça ne le botte pas. Il fait glagla avec ses dents en porcelaine véritable. Faut dire que le Dabe, ici, c'est l'épouvantail. Quand il fronce les sourcils il y a des cardiaques qui prennent pour deux mois d'hosto et des émotifs qui deviennent bègues.

— A son domicile ! répète-t-il, comme s'il voulait gagner quelques secondes pour conjurer le mauvais sort.

— Et que ça saute, sinon vous allez vous retrouver avec une retraite tellement anticipée qu'elle suffira pas à nourrir votre canari. Du nouveau au sujet de ma voiture et de la dame Messonier ?

— Pas que je sache !

Là-dessus, je grimpe à mon bureau. Il pue le tabac froid. La lumière des ampoules me flanque mal au cœur et je découvre que j'ai la pépie. Espérant trouver de quoi m'abreuver dans le placard de Béru, je force son ridicule cadenas. Hélas, il ne recèle qu'une canne à pêche, une petite topette d'alcool à

brûler, un réchaud, un quignon de bred, quatorze bouteilles vides, et soixante-treize
boîtes de pâté de foie proprement nettoyées
de leur contenu.

Je n'ai pas le temps de donner libre cours à
ma déconvenue, car la sonnerie du bigophone
carillonne.

La voix du Vieux s'impatiente déjà à
l'autre bout de la ligne.

— Eh bien ! Eh bien ! J'écoute...

— C'est moi, Patron !

— Je m'en doute. Alors ?

— Alors il faut absolument surseoir à
cette exécution.

— Pourquoi ?

Je lui raconte par le menu, comme on dit
dans les restaurants, les incidents multiples et
contondants de la soirée. Lorsque j'ai fini de
jacter, le Dabe se racle le conduit.

— C'est pour cela que vous m'éveillez !
C'est avec des faits nouveaux de ce genre que
vous espérez stopper le cours de...

Ah ! sa sacrée justice ! Il doit dormir avec,
probable ! Elle lui sert d'oreiller, de conscience, de maîtresse et de bonne à tout faire !
La justice ! Le cours de la justice ! Moi je

trouve qu'il est bigrement en crue, le cours
de la justice !

L'écœurement me donne le courage nécessaire et j'y vais de ma sérénade. Pas de
contre-ut, non, dans le posé, dans les thons
neutres, comme disait un requin de ma
connaissance.

— Patron, je sais qu'il est trois heures et
demie du matin, que vous êtes un homme
très considérable et que votre sommeil est
sacré. Pourtant je vais vous dire ce que je
pense. Messonier n'a pas tué les Coras ! J'ai
comme éléments nouveaux le témoignage
d'une femme qui a voulu m'assommer, celui
d'un garçon de ferme qui est prêt à témoigner que Messonier était chez lui le jour des
meurtres ! Enfin des traces de balles dans le
sous-sol de sa maison, et je...

Je subodore qu'il est mauvais, le Vieux. Sa
voix à zéro degré me renseigne sur ce
point.

— Vous entendez ce que vous dites au
moins, San-Antonio ?

« Vous invoquez le témoignage d'une droguée vraisemblablement hystérique ; celui
d'un garçon de ferme idiot, et de trous dans
un mur de cave dont on ne sait pas s'ils ont

été produits par des balles, ni quand ils ont
été faits, ni même en quoi ils modifieraient
l'aspect de l'affaire Messonier si **nous avions**
la preuve qu'ils résultent **d'une mitrail-**
lade ! »

Je comprends que ce qu'il dit est la logique
même, hélas. Mais ma conviction intime est
la plus forte.

— Il y avait trois voitures dont la sienne à
Neauphle le jour du meurtre !

— A quelle heure ?

— Mais...

— Il faut trois quarts d'heure pour venir
de Neauphle à Paris et les Coras ont été
assassinés en fin d'après-midi.

— Pourtant...

— Avez-vous communiqué avec le condamné ?

— Oui, monsieur le Directeur...

— Que dit-il ?

— Il continue d'avouer !

— Alors la cause est entendue !

Je regimbe encore. Ma volonté a la vie
dure !

— Monsieur le Directeur, vous me
connaissez depuis pas mal de temps, vous
savez que lorsque je m'intéresse à une affaire,

ça n'est jamais en pure perte. Donnez-moi le temps d'enquêter à fond sur cette histoire. Il faut qu'on retrouve Geneviève Coras, son témoignage est primordial. Mais pour cela qu'on remette l'exécution de quarante-huit heures. Pas plus ! En quarante-huit heures, je me fais fort de découvrir la clé du problème.

Le Vieux rouscaille.

— Vous me l'avez déjà demandé, c'est impossible !

— Combien de fois m'avez-vous répété que ce mot n'était pas français ! Patron, si on exécute Messonier et si par la suite je peux prouver qu'il était innocent, je vous jure sur la tête de ma mère que je démissionnerai !

Un temps. Je m'apprête à dire bonsoir lorsque sa voix, flétrie par l'émotion, fait vibrer la plaque sensible du tubophone.

— Vous êtes au bureau, San-Antonio ?

— Oui.

— Je vais essayer une démarche auprès de M. le Garde des Sceaux. Je vous rappelle...

— Merci.

Qu'ajouter ? Je raccroche, et vais boire la flotte cuivrée du lavabo.

Franchement, il y a des drôles de moments

dans la vie. Mon coup de ronfionfion me fait
souffrir. J'ai des lancées dans la calebasse.

-:-

Ça dure peu, fort heureusement pour mon
système nerveux. Cinq minutes plus tard j'ai
droit à une collection de timbre électrique.

The Boss ! Sa voix désenchantée m'en
apprend long comme l'autoroute de l'Ouest
sur les résultats de sa démarche.

— Mauvaise nouvelle, San-Antonio. Le
Garde des Sceaux n'est pas convaincu du
tout. Il m'a répondu que si le condamné avait
toujours nié, à la rigueur, on pourrait se
demander si... Mais puisqu'il avoue, tout est
réglé !

— Son compte du moins. Alors rien à
faire ?

— Rien, l'exécution va avoir lieu tout à
l'heure.

Il a dû se faire rabrouer par le Garde des
Sceaux, mon Diro. L'autre lui a fait sentir
que son dodo était une cérémonie à ne pas
troubler.

— Très bien, Patron, excusez-moi et
merci tout de même.

Je quitte mon burlingue en coup de vent et je vais rejoindre Martial, le préposé qui fait la cour à la muse du sommeil (une cour Martiale en somme).

Il fait des efforts méritoires pour ne pas se rendormir.

— Savez-vous s'il y a une voiture de disponible ?

— La Juva ! dit-il sans hésiter, Paganon l'a ramenée tout à l'heure.

— Je la prends !

Me v'là parti sous la lance. Les phares de mon bolide mettent des traînées sur les Boulevards où il y en a déjà pas mal — et de tout ordre. A quatre plombes je débarque à la Santé. On va s'occuper de celle de Messonier, c'est promis. Le porche franchi, j'avise une silhouette caractéristique dans un coin de la cour. Une silhouette qui vous fait penser à la mort de Louis XVI, vu qu'il s'agit de celle de la guillotine. Des ombres s'activent autour. On entend des coups sourds, des chuchotements. Je frissonne.

Le gardien qui m'escorte me demande, bon enfant :

— Vous venez pour la partie de tronche, m'sieur le commissaire ?

— C'est ça, dis-je en m'efforçant de garder mon râtelier supérieur bien plaqué sur mon râtelier inférieur de façon à éviter tout solo de castagnettes.

Je rejoins le quartier des condamnés à mort. En traversant le rond-point des gardes, j'aperçois quelques civils fringués en sombre et tout pâlichons qui attendent l'heure d'aller réveiller Messonier.

Le gardien affecté au supplicié m'accueille avec un bon sourire.

— Je savais que vous reviendriez, assure-t-il en fin psychologue, la bascule, ça attire. C'est comme Venise, quoi, faut l'avoir vu au moins une fois dans sa vie !

— Je veux parler à Messonier.

Il fronce les sourcils.

— Maintenant ?

— Je crois que c'est le moment ou jamais, non ?

— D'accord, mais... Il dort, vous comprenez... Si vous le réveillez avant...

Je lui brandis mon faf d'introduction sous le morceau de viande qu'il enveloppe dans son mouchoir quand il est enrhumé.

— Tout de suite, ça urge !

— Oh ! bon. Moi j'en causais par humanité !

— L'humanité, ça me connaît, je travaille avec elle depuis dix ans !

Re-rire du brachycéphale à casquette à visière noire à galons ! Il m'ouvre. J'avise un autre gardien dans la cellule du condamné. Il est adossé au mur, et il ronfle comme un Evinrude de 18 CV.

L'homme sursaute. Messonier, allongé sur son bat-flanc, ouvre à demi les roberts.

Un voile léger les a embués. Il a cru que ça y était, puis il me reconnaît et le calme s'étale en lui.

— Laissez-nous seuls, enjoins-je aux orphelins.

Les deux zigs sortent en rechignant.

Maintenant, les Gars, si je vous bonnis que l'instant est grave, vous me croirez, j'en suis sûr.

— Messonier, fais-je, vous avez cru que c'était le réveille-matin de Deibler, n'est-ce pas ?

— Effectivement.

— Soyez courageux, mon vieux, c'est en effet pour ce matin.

Il blêmit, mais un éclat étrange brille en

ses yeux fiévreux. Il se raccroche à l'espoir, il croit que je le bluffe.

— Excusez-moi, lui dis-je, mais ça n'est pas une plaisanterie ; elle serait abjecte. D'ailleurs, prêtez l'oreille et vous percevrez des bruits assez inhabituels dans la cour...

Je n'en mène pas large. Jamais, au grand jamais, depuis que Félicie m'a mis au monde, je ne me suis montré aussi dégueulasse.

Messonier paraît vieillir à vue d'œil. Il se ratatine, se flétrit, s'étiole, se révulse, se convulse, s'émotionne, s'émulsionne, s'astreint, se condense, se déshydrate.

— Alors, ça y est ?

— Ça y est. J'ai essayé de faire une contre-enquête depuis tout à l'heure. Elle m'a convaincu personnellement de votre innocence, mais le Garde des Sceaux est moins crédule et les choses suivent leur cours. Le moment est donc venu de dire la vérité, Messonier, on ne meurt pas à son aise lorsqu'on tait un secret !

— J'ai mon confesseur, cela me suffit, rétorque-t-il avec noblesse.

— Voyons, petit...

— N'insistez pas. Je vais vous demander de me laisser seul ; j'ai besoin de me préparer à ce qui m'attend. Je vous remercie de m'avoir réveilé, ce ne sont pas des minutes perdues, commissaire.

Je savais que ça se passerait ainsi. Quand un type comme lui se tait pendant près de deux ans en subissant d'aussi terribles épreuves, c'est qu'il est capable de canner sans moufter en se faisant enterrer dans son jardin secret.

Alors, que voulez-vous, les Mecs, les hommes forts sont ceux qui savent prendre leurs responsabilités. Aux grands Maux-maux les grands remèdes, comme déclare le Foreign-Office. Je dédaigne mon pétard.

Messonier recule d'instinct.

— Serre les dents, bonhomme, lui chuchoté-je, ça va te cuire les plumes, mais c'est la seule façon que j'aie de sauver ta garce de peau malgré toi.

Et zoum-pif-bang ! Ça claque à trois reprises. Je lui place une olive dans chaque cuisse et une dans l'épaule gauche.

Il s'écroule le long du mur, ses fers aux lattes le retiennent et il bascule en avant. La cellule est emplie de fumaga. Les gardiens radinent, verdâtres.

— Qu'est-ce qui se passe !

Ça brame dans la prison. Les autres détenus, réveillés par les coups de pétoire, poussent une goualante à tout hasard.

— Ce salaud-là a voulu m'étrangler ! fais-je... Heureusement que j'ai pu sortir mon revolver, sans quoi...

Le brachycéphale traduit admirablement mon sentiment personnel :

— Eh ben B... de D..., dit-il, ça va ch... pour nos gu... !

CHAPITRE XIII

Les Messieurs font silence lorsque la civière emportant Messonier traverse la salle des gardes. Mais lorsque les deux infirmiers lestés de leur colis sont partis, ça mugit comme tout le port du Havre un soir de brume.

— M'expliquerez-vous ! fait un magistrat en civil.

Leurs foudres me tombent droit dessus comme un pavé de bois dans les dents d'un flic.

Je perçois, en les énonçant, l'aspect vasouillard de mes explications.

— Mon chef m'avait chargé de...

En aparté, je me traite de grand lâche. Toujours la pétoche des responsabilités ! Voilà que je me retranche derrière le Vieux en espérant amadouer ces Messieurs. Dans la cour, le bourreau doit fulminer pour sa partie de coupe-cigare ratée. Il doit se demander s'il a tout de même droit à ses défraiements et il regrette le café-crème qu'il est allé écluser au troquet du coin tandis que ses aides graissaient une dernière fois sa mécanique. C'est pas son couteau, c'est lui qui est repassé !

— Votre chef vous a chargé de quoi, Commissaire ? De venir trucider les condamnés à mort au pied de l'échafaud ?

Faut pas demander la profession de celui qui vitupère. Je vous parie l'heure qu'il était hier à ces heures contre celle qu'il sera demain à minuit qu'il s'agit de l'avocat général. Ce qu'on appelle dans la guignolerie en rouge le ministère public ! L'homme au sécateur, quoi ! Celui qui effeuille les tronches comme d'autres effeuillent les marguerites, histoire de voir si leurs bergères les aiment un peu, beaucoup, passionnément ou pas du tout !

Rapidement je lui résume l'incident Geneviève Coras en passant sur les détails.

— Je suis venu interroger le détenu dans l'espoir d'obtenir des révélations in extremis.

— Il était bien temps ! ironise le sarcastique professionnel en tirant sur ses manchettes d'un geste automatique.

— Justement, il n'était que temps. Le rêve eût été d'obtenir une remise de l'exécution, mais le Garde des Sceaux a refusé...

— Passons !

Je passe ! Belote et rebelote !

— Soudain, pris d'une crise de folie furieuse, Messonier s'est jeté sur moi. Il m'a pris à la gorge et...

L'autre me jauge, me soupèse, m'estime d'un œil aussi frais que celui d'un poisson oublié sur une plage ensoleillée.

— Voudriez-vous me faire croire que ce garçon affaibli par la détention, enchaîné de surcroît, constitue un danger pour un garçon aussi athlétique que vous l'êtes !

— Il m'a saisi par-derrière, je me suis trouvé déséquilibré et...

— Et les gardiens qui attendaient dans le couloir n'ont rien entendu ! Et vous avez sorti votre revolver afin de lui tirer dessus à la renverse ! Vous vous moquez, commissaire !

— Mais...

— La vérité est que vous avez voulu par

n'importe quel moyen stopper cette exécution. Je vais demander votre arrestation !

Je me penche sur lui.

— O.K., faites-le et nous aurons droit à
une charmante publicité dans la Presse. Il y a
du creux dans les actualités justement, ça
sera une aubaine pour les journalistes. Le flic
qui s'insurge contre une erreur judiciaire, je
parie que ça plaira dans les chaumières !

Il en prend plein sa frime de rat méchant.
Moi je me chope par la main et m'emmène
promener. Un homme me suit dans le couloir.

— Je peux vous dire deux mots ?
demande-t-il.

Je le toise de haut en bas.

— Qui êtes-vous ?

— Maître Alban Désacusaix, le défenseur
de Messonier.

Je me force à lui sourire.

— J'ai drôlement terminé votre travail,
n'est-ce pas, Maître ?

— En effet, dit-il. Vous ne prendriez pas
un petit alcool avec moi ?

— Un verre de rhum ? ironisé-je.

Il ne sourcille pas.

— Si vous voulez, on doit bien trouver un café ouvert à ces heures, non ?

— Si vous avez des goûts simples, oui !

Ça me botte de parler un peu avec ce type. C'est un petit homme jaunâtre, aux cheveux recouverts de peau de crâne. Il a un tic à l'œil gauche qui l'oblige à le fermer violemment. On dirait qu'il vous fait de l'œil. Ce truc-là a dû lui valoir pas mal de désagréments avec des maris jalminces.

Nous quittons la cabane aux mille lourdes et n'avons pas trop à draguer le quartier pour découvrir un troquet ouvert.

C'est le genre big bistrot avec un loufiat en bras de chemise qui fourbit son alambic à caoua en chantant des hymnes marianiens.

— Deux cafés ! Deux croissants ! Deux rhums ! lancé-je.

Je me sens un peu mollet des soupapes. Voilà un bout de moment que je n'ai pas ronflé et j'ai les battoirs qui font bravo sans le vouloir. Quelles aventures, mes potes ! Et dire que le plus duraille reste à faire. Parce qu'entre nous et la Porte Maillot, si je ne me manie pas le fion pour prouver l'innocence de Messonier, je vous parie une vraie plume contre une plume occulte que ça se terminera en moche pour votre San-Antonio adoré, mesdames ! Quand le Vieux va apprendre mon coup d'état, il commencera un traitement contre la jaunisse, après quoi il me fera payer ça tellement chérot que je serai obligé de faire la plonge dans une cantine pour pouvoir régler l'addition.

Oh ! là là ! Il va en perdre ses légumes, le Boss ! Des coups pareils, c'est pas fait pour hâter le canapé de sa rosette !

— Alors ? me demande l'avocat.

— Avant de vous démarrer l'historiette, fais-je, je voudrais vous poser une question.

— Oh ! Oh !

— Et je vous demande de m'y répondre par *oui* ou par *non*. A votre avis, Maître, après étude approfondie du dossier et après avoir recueilli les confidences de votre client, Messonier est-il coupable ?

— Oui, dit-il. Tout à fait entre nous, mon cher, j'en suis convaincu !

— Eh bien, moi, je suis convaincu du contraire !

Pour la énième fois, je raconte — mais en détail — les péripéties de la nuit. Il suit minutieusement mes explications, se gardant de les interrompre par des questions. C'est le type qui sait parler sans doute, mais qui sait aussi se taire, qualité précieuse pour un avocat.

Lorsque j'ai terminé, il me dit :

— A mon avis, Mme Coras a été peut-être la complice de Messonier. Je crois aussi qu'elle a été sa maîtresse. Il l'a tenue en dehors de l'affaire par amour, car Messonier est un passionné. Je lui ai trouvé un goût du martyre assez curieux, mais c'était un intoxiqué, preuve qu'il cherchait une issue à sa vie. Voyez-vous, commissaire, c'est un cas que cet homme, il a trouvé une esthétique à son existence en cellule.

Je vide mon caoua et n'ai pas le cœur de becqueter le croissant. Un coup de rhum par-dessus le blaud ; je me tourne vers maître Alban Désacusaix.

— Eh bien, moi, maître, je suis plus catégorique encore que vous : Messonier est innocent et je le prouverai. Vous m'excusez ?

Je me lève.

— Où allez-vous ?

— Roupiller un brin dans le premier hôtel

venu. Je ne sais pas si ça se remarque, mon bon maître, mais je suis à bout de forces, et ça n'est pas la pisse d'âne qu'on vient de nous servir pour du café qui peut me ragaillardir.

On sort dans l'aube crasseuse. Il flotte toujours menu. Ce genre de pluie idiote qui paraît ne pas mouiller et qui à la longue vous transforme en éponge.

— Moi aussi, je vais au lit, dit Désacusaix, car je puis vous assurer que je n'avais pas fermé l'œil. Auparavant, je vais aller prendre des nouvelles de Messonier à l'hôpital ; j'espère que vous ne l'avez pas trop endommagé !

— Pensez-vous ! Je sais viser juste, surtout lorsque je tire sur des gars qui me sont sympas !

Nouveau rire du cher maître. Gentil, mais éberlué, nettement dépassé par les événements, surtout lorsque ceux-ci ont mis la surmultipliée. Franchement, les mecs, si un jour il vous arrive un pastaga, allez plutôt carillonner chez Floriot, because ce champion du barreau (de chaise) me semble tout juste bon à défendre la cause de la veuve Bourmoix

lorsque celle-ci plaide pour un bris de clô-
ture.

Je le laisse à sa gueule de bois dans le
matin mouillé, tant chanté par les poètes qui,
en général, se lèvent à midi. Et je vais guérir
la mienne à l'hôtel « du Trombone à coulisse
et de la Normandie réunis ».

C'est un coquet établissement de quatre
étages qui tient encore debout grâce aux
affiches collées sur sa façade. Des marneurs
de grand style, passés pros depuis belle lurette, vont au turbin, sans joie, en tétant leur
première gauloise, cependant que la leur finit
un rêve consacré à Georges Guétary. Un
patron jaune à cheveux blancs crêpés me loue
sans explications une pièce sous les toits. Je
lui recommande de m'éveiller à huit heures
pile, et je vais disperser le congrès de pu-
naises qui tient ses assises dans mon lit de
louage.

-:-

Trois heures de dorme, c'est pas lerche
lorsqu'on a passé la nuit à cavaler, qu'on s'est

pris un coup d'instrument contondant sur la pensarde et qu'on est mis au banc de la Société pour s'être permis un rodéo inédit à la Santé, quartier des Cramponne-ta-hure-y-fait-du-vent. Lorsque la bonniche de bidet's office tambourine à ma pauvre lourde numérotée, je rêve que j'assiste à une réception à Buckingham Palace ; il y à là Elizabeth et sa famille, plus Tino Rossi, la môme Marceau, et Vercingétorix. C'est simple, agréable à cause de l'orchestre de jazz et j'ai une touche avec une archiduchesse dont les chemises ne m'ont pas l'air archisèches.

De plus les boissons sont de first quality : il y a du vin des Rochers (le Velours de l'estomac) du Vérigood, de l'hydromel en boîte (crânienne) et du sirop de protagoniste.

Bref, je flotte dans les délices sans nombre lorsque les heurts de la ramoneuse de lavabos viennent m'annoncer que le monde a tourné, les cadrans de breloques itou et qu'il est huit heures cinq broquilles à l'horloge parlante de son transistor.

Drôle de bouille, la soubrette. Elle a la jaunisse ou alors sa mère a passé son voyage de noces au Cambodge. Elle a les yeux pas très en face des trous, et les trous vachement étroits.

— Comment vous nommez-vous, mignonne ? bâillé-je.

— Li-Ju-Mo, me répond-elle ; mais ne m'appelez pas mignonne où je vous mets mon poing dans la g... ; on peut être Chinois et ne pas faire partie de la pédale, je suppose ?

Ayant incliné mon regard de quarante-cinq degrés, je constate à ma grande confusion que la soubrette est un soubret. Celui-ci porte des falzars comme tout un chacun chinois. Je m'excuse, me lève et lui demande si dans la taule on sert aux clients des cafés valables. Il répond que oui, enfouille le billet que je lui tends et me promet pour très bientôt et peut-être avant un bol de jus comme n'en trouve pas à Sâo Paulo.

Là-dessus, je décroche le bigophone et réclame le numéro des établissements Poulagas and Co.

L'ayant obtenu, je me fais mettre en communication avec Magnin. Gentil garçon plein jusqu'au goulot de bonne volonté et de désir de bien faire.

En reconnaissant mon timbre harmonieux,

il puise dans sa réserve de points d'exclamation.

— Ah ! c'est vous, m'sieur le commissaire ! Eh bien ! vous pouvez dire qu'il est question de vous ici ! Le Vieux est dans tous ses états...

— C'est son côté Charles Quint, fais-je...

— C'est possible, admet Magnin qui ne perçoit pas toutes les subtilités — surtout historiques — de mon langage.

Et de poursuivre.

— Il est descendu lui-même de son terrier pour voir si vous étiez arrivé. Il a dit à tout le monde ici que dès qu'on vous apercevrait il faudrait vous conduire à son bureau.

Je m'attendais à une réaction de ce genre. Vous dire que je me sens à l'aise dans ma garce de peau ce matin serait exagéré. M'est avis, les gars, que j'ai chaud aux plumes.

— Bouche cousue sur mon coup de fil, hein, vieux ?

— Naturellement, m'sieur le...

— Bon. Où en es-tu avec la mission dont je t'ai fait charger cette nuit ?

Il prend sa voix de rapport. Ton froid (à la tomate), syllabes admirablement articulées, avec pignon rotatif et roulement à billes.

— Nous avons retrouvé votre voiture ave-nue Mozart...

Naturlich, c'est près du boulevard de Beauséjour.

— ... mais la dame Coras n'était pas à son domicile lorsque je m'y suis présenté. Par contre elle a reparu chez son garagiste et a pris son auto.

— Voyez-vous...

— J'ai placé un homme chez son concierge, et un autre à la banque.

— Pas bête, mon bonhomme.

— Par ailleurs, continue mon sous-verge (c'est beau la langue françouze), j'ai fait dif-fuser son numéro minéralogique à tout le ter-ritoire. Sa voiture étant une petite anglaise rouge, elle sera vite repérée, vous pensez...

— Très bien, fiston, je n'aurais pas fait mieux.

Il doit se pâmer, le fin limier.

Le v'là qui s'enhardit à me questionner.

— Dites-moi, patron, pour cette nuit, à la Santé, que s'est-il passé ? Je vous jure que ça fait un drôle de cri dans la maison. Je me demande dans quelle mesure la chose sera amortie, vous savez comme est la presse, elle a des oreilles qui traînent un peu partout...

— T'inquiète pas pour la presse. Plus il y aura de la publicité faite là-dessus, mieux ça vaudra. On a des nouvelles de ma victime ?

— Oui, il paraît que ça ne va pas for-tiche.

— Quoi ?

— Arrivé à l'hosto, le mec aurait tenté de s'ouvrir les veines. On l'a trouvé sans connaissance dans son lit après qu'il ait été pansé, il était quasi exsangue. On est en train de lui faire des transfusions comme s'il en pleuvait !

— En v'là un qui avait bigrement envie de fleurtailler avec la mort !

— Ça me semble...

On toque à la lourde. C'est Li-Ju-Mo qui me livre mon caoua du Brésil sans frais de douanes.

— Je te rappellerai dans la matinée, Magnin.

— A votre service, patron.

— Si vous arquepincez la môme Coras, embarque-la en souplesse, sans publicité, et mets-la-moi au frais en m'attendant ; isole-ment complet, vu ?

— Compris.

— Béru est arrivé ?

— Pas encore.

— Quand il pointera son ignoble personne, ordonne-lui d'attendre mes instructions. Allez, bye !

Je raccroche. Le Chinois me lance un coup de périscope à grand rayon d'action.

— Vous êtes de la police ? me demande-t-il.

— De quoi je me mêle ? objecté-je pauvrement.

— Les poulets, me dit-il, je les sens de loin.

— T'as essayé Purodor ? je demande en goûtant à mon breuvage.

Je fais une grimace qui ferait honte à un hépatique. Ça, du café ? Ils charrient dans la taule ! C'est tout de même malheureux de se faire servir du jus de chaussette à longueur de journée.

— Pas bon ? me fait Lajaunisse d'un air heureux.

Je vide le bol dans le lavabo. C'est une réponse qui les contient toutes.

Le jaune se taille en riant blanc. Par mesure de sécurité, je tire le verrou et je me mets à réfléchir comme toutes les glaces de Saint-Gobain réunies.

La journée qui se présente promet d'être décisive. Lorsque le mahomet se couchera, ou j'aurai triomphé, ou je pourrai m'acheter une bassine à grande friture pour m'établir marchand de frites. Va falloir jouer serré.

CHAPITRE XIV

De ce coup de tube à Magnin, je retiens avant tout deux choses. Primo : Messonier a tenté de se finir.

Deuxio : Geneviève Coras a mis les bouts.

J'examine séparément ces deux faits. Le comportement du condamné à mort est franchement extraordinaire. Ce type qu'on soustrait à la guillotine *in extremis*, comme disent les chauds latins et qui, au lieu de se réjouir du miracle, essaie de se buter est, à mon sens (et c'est celui de la longueur en général) le cas number one de ma carrière. Je paierais ce que vous me demanderiez pour avoir la clé de l'énigme, à condition que vous l'ayez, naturellement.

Quant à cette petite écervelée de Geneviève qui me fait du cinéma en marche avant, puis du cinéma en marche arrière et enfin du cinéma en relief (voir ma bosse), je pense qu'elle a eu peur des conséquences de son mouvement d'humeur et qu'elle est allée se faire aimer sous des cieux plus cléments où les équipiers du P.C.D.F. (Poulet-Club-De-France) n'auront pas trop de mal à la dégauchir.

Je me convoque pour une réunion extraordinaire au sommet.

« Alors, mon chou, me dis-je, car j'aime me prendre par la douceur, qu'est-ce que tu vas inventer ce matin pour te tirer de la mouscaille ou pour t'y enliser jusqu'au trognon ? »

Je me dis loyalement qu'il faut s'approcher de la source. C'est toujours là que l'eau est la plus pure. Or, quelle est la source ? Messonier. Une petite virouze à son chevet me paraît très indiquée. Pour peu qu'il soit sorti du sirop et qu'il ait récupéré sa menteuse, je pourrais peut-être le faire accoucher d'un morceau de révélation.

« Allez, zou ! »

Et me voilà parti.

-:-

Il y a un matuche à baffies dans la cham-

bre de Messonier pour veiller sur sa sécurité.
C'est du brave agent à deux doigts et une
phalangette de la retraite. Il ligote l'Equipe
pour voir où en est le Racinge avant sa rencontre avec la Garenne-Sainte-Hilaire. A
mon entrée, il salue militairement. Je vois
bien à sa mine qu'il est au courant de mes
exploits, néanmoins je demeure son supérieur
et, tant que les miens ne m'ont pas envoyé
tricoter du chausson à Poissy, il me doit le
respect et me le rend avec les intérêts.

— Il y a ici que vous êtes longtemps ? lui
demandé-je à brûle-pourpoint.

J'ai la fourche qui langue un peu ce matin.
Le manque de sommeil et les émotions, sans
doute.

Comme le représentant anémié de la force
publique ouvre des yeux abasourdis, je rectifie le tir :

— Il y a longtemps que vous êtes ici, brigadier ?

Car il est brigadier.

— Depuis qu'on a transporté l'homme,
monsieur le commissaire.

L'homme n'est pas vaillant. Il est entortillé
dans de la gaze comme la momie de Ram-
sès II et flotte dans une espèce d'inconscience

entrecoupée de soupirs et de menus cris. Ça ne doit pas se passer comme dans la Semaine de Suzette sous sa coiffe, je vous le garantis.

— Vous n'avez pas quitté sa chambre ?

— Non. Quand je suis arrivé, on le ramenait du billard parce que y a fallu lui enlever ses balles !

Là, il met le paquet en fait d'intonation et de regard appuyé. C'est les Chargeurs Réunis à lui tout seul.

— Vous ne vous êtes aperçu de rien lors de sa tentative de suicide ?

— Non, de rien. Je m'es installé ici, dans ce fauteuil, à lire les journaux en attendant. Qu'est-ce que je pouvais faire d'autre ?

Je lui dédie un haussement d'épaules approbateur.

— En effet !

— Au bout d'un moment il a repris connaissance, poursuit le brigadier, et y m'a demandé où qu'il était. Je m'es approché et je lui ai dit. Alors il a fermé les yeux et s'est mis à pleurer ; comme si que c'était la rédaction qui se faisait, vous comprenez. Le choc poteau-opératoire qu'on appelle ça...

— C'est juste !

— Puis il s'est assoupi. J'ai retourné
masseoir. Le substitut est d'abord venu, ou
j' sais pas qui : le procureur, p't'être. Ensuite
son avocat. Mais comme Messonier dormait
ou faisait semblant, y s'y ont pas causé et se
sont pas arrêtés. Et puis voilà que l'infirmier
s'annonce pour lui faire une piqûre. Il rabat
les draps et pousse une beuglante ! Si vous
aviez vu, m'sieur le commissaire. C'était tout
rouge ! Y avait une lame Gillette au milieu
du raisin ; ce c... s'était cisaillé le poignet en
douce dans son pageot ! Où qu'il a chopé cette
lame, c'est ministère et boules de gomme. On
pense qu'il se l'avait procurée y a longtemps
et qu'il la planquait dans ses fringues. Ou
alors qu'il se la serait dénichée dans la salle
d'opération avant qu'on l'endorme. Brèfle, on
saura la vérité plus tard, s'il en revient. Le
toubib dit comme ça qu'il a perdu plus d'un
litre de rouquin. C'est mauvais pour un
blessé. Notez qu'on lui a fait une infusion de
sang depuis...

Mon interlocuteur est de l'espèce volubile.
Vous mettez deux sous dans le bastringue,
vous appuyez sur un bouton et il ne vous
reste plus qu'à chercher une pose commode
dans un fauteuil moelleux ! Soudain il la

boucle, car quelqu'un vient de pénétrer dans la chambre du blessé. Et ce quelqu'un, tenez-vous bien, ce n'est autre que le Vieux. Il porte un costar bleu croisé ; une limace « persillée », vu sa blancheur et une crave-touze noire. En me découvrant au chevet de « ma » victime, il devient blême comme un lavabo.

— Vous ici ! déclare-t-il, comme dans les bonnes pièces de patronage.

— Le meurtrier revient toujours sur les lieux du crime, essayé-je de plaisanter, ne voulant pas me faire traiter comme une descente de lit devant le brigadier à moustaches. En l'occurrence, la descente de lit que je constituerais serait, vous l'admettrez, une descente de police.

— Nous sommes à un tournant ! fait le Boss.

Je lui sais un sacré bloc de grès pour ce pluriel. Par là, il me fait comprendre qu'en Haut lieu, ça chauffe aussi pour sa calvitie.

Le malheur crée une sorte de fraternité. Il la subit plus que sa rancune.

— C'est du joli !

Je me penche sur son oreille.

— Ça finira comme ça devra finir, patron,

mais je veux vous dire une chose : si c'était à refaire, je le referais !

— Ça n'est pas avec de grands sentiments qu'un policier fait de la bonne besogne, San-Antonio. J'ai bien peur de devoir vous réclamer votre démission. Croyez-le, je ne suis que l'intermédiaire...

— Vous l'avez ! rétorqué-je. Je vous l'offre déjà verbalement et vous la recevrez par écrit au prochain courrier.

Sur ces paroles définitives, je quitte la pièce sans vérifier l'effet qu'a produit sur le Vieux ma prise de position.

Pour tout vous bonnir et ne rien vous cacher, je me sens un autre homme. En moi c'est le désert de Gobi et le Sahara réunis. Le sentiment de ne plus appartenir à la poulaillerie me prive de mes moyens. La fonction crée l'organe. Or je viens de me pratiquer une ablation douloureuse. Je me suis ôté la qualité de flic. Ma parole, c'est pire que si je déambulais à poil dans les rues.

Il me semble que les gens se retournent sur moi. En regagnant la bagnole, je pense à mon futur et celui-ci me paraît franchement pas beau. On dirait qu'il a la petite vérole, mon avenir. Et qu'il s'est fringué dans les tons gris. Que vais-je bien pouvoir entreprendre pour assurer ma pauvre subsistance et celle de Félicie, ma brave femme de mère ? La vente des aspirateurs ne me paraît pas lucrative ; celle des appareils à enfiler les ronds de serviette non plus. Alors ?

En prenant place au volant, je songe que ce véhicule appartient aux services, et que, par conséquent, je n'ai plus le droit de l'utiliser. Y a pas, faut aller le rendre, d'ailleurs j'ai hâte de récupérer le mien. Ma chignole est une espèce de prolongement de moi-même. Je bombe jusqu'à la maison Viens-Poupoule et je laisse la Juva près de ma voiture qu'un poulardin compatissant a ramenée au port (un port d'où je vais appareiller pour une destination inconnue).

— M'sieur le commissaire !

Je lève ma frime vers les étages et, à une fenêtre du second, j'aperçois la bouille raisonnable de Magnin.

— Venez !

J'y vais. Mon cœur est plus gros que les Peter's sisters. Dire qu'il me faut quitter tout ça. C'est moche, la vie. On se décarcasse pour arriver. On fait une carrière éblouissante et puis, un jour, on fait un faux pas, on glisse sur une peau de banane et tout est à recommencer !

Il est vachement surexcité, le Magnin. Ses yeux frétillent comme deux gardons qu'on tire de l'onde. En voilà un qui aime aussi son job et qui veut arriver. Lui aussi, quand il aura du galon, aura des pièges à éviter. Et lui aussi mettra fatalement un pied dans l'un d'eux, parce que c'est un simple calcul de probabilité et que les chiffres jouent toujours contre vous.

— Qu'est-ce qu'il y a ? On dirait que tu viens de voir un Martien.

— Deux nouvelles, depuis tout à l'heure, m'sieur le commissaire. D'abord on a retrouvé la voiture de Mme Coras.

— Où ?

— Oh ! en plein Paris, boulevard Raspail. Elle était stationnée devant un marchand de disques, à moitié sur les clous. Le premier flic venu y a foncé dessus, vous pensez.

— Alors ?

— J'ai dit de laisser la voiture en place et j'ai placé un homme à proximité pour attendre le retour de la femme.

— Parfait. Ensuite, la seconde nouvelle ?

— Il y a eu un coup de grelot de Bérurier. Pas de lui exactement, mais d'un de ses cousins, paraît-il, qui est cultivateur à Neauphle. Béru s'y trouve et il demande que vous le rejoigniez d'urgence.

Magnin sourit, comme l'abbé du même nom.

— Le plus drôle, c'est que lorsque vous m'avez appelé tout à l'heure le cousin du Gros était en ligne. Je vous ai pris en priorité, sans quoi...

Je colle une bourrade à Magnin.

— Allez, tchao, bonne pomme ! Je ne sais pas si on se reverra, mais je peux te promettre que tu feras ton chemin.

— Qu'est-ce que ça veut dire, m'sieur le commissaire ?

A son regard, je vois bien qu'il a pigé ce qui se passait.

— Ça veut dire que pour réussir dans ce p... de métier, il ne faut pas avoir la conscience trop encombrante.

Cette fois je retourne à mon véhicule à essence et, une nouvelle fois, je prends l'Ouest pour objectif.

CHAPITRE XV

Grande animation chez les Mathieu. Leur vache a eu des jumeaux. C'est un événement que la maisonnée célèbre au calva, comme il se doit. La femme au chignon a servi à son petit monde une forte collation dont bénéficie le Gros. L'image qu'offre mon ex-collaborateur mériterait le gros plan en cinémascope couleurs. Il est en bras de chemise, et sa chemise est violette avec des pièces blanches et des trous noirs (fatalement puisqu'ils découvrent son tricot de corps). Pour une fois, il a posé son bitos et son crâne blafard où moussent quelques cheveux tristes se plisse sous l'effort d'une mastication puissante. Ses bretelles sont rafistolées avec de la ficelle à liens, et ne tiennent au pantalon qu'avec le concours d'épingles de sûreté rouillées.

Il est en train de s'enfourner une portion d'omelette aux œufs absolument terrifiante. D'un coup de gosier magique, il avale le paxon ; il se torche ensuite la bouche d'un revers de manche superbe d'aisance, essuie sa manche à son pantalon comme le recommande le protocole, et s'octroie un verre de rouquin plus épais que le produit coulant d'une bétonneuse.

— Tu m'as fait téléphoner ?

— Oui, j'avais pas le temps d'aller jusqu'au village. Mon cousin qu'a eu deux veaux cette nuit et qui s'était pas couché a bien voulu aller à la poste pour moi.

— Qu'est-ce qui se passe ?

Il tire sur ses bretelles, cherchant visiblement une pose avantageuse. Cette tension arrache une des épingles de nourrice qui lui part dans le visage. Béru jure et se rajuste tandis que le garçon de ferme fait entendre un long rire chevrotant.

— Vous mangerez bien un petit bout avec nous ? s'inquiète la fermière au chignozof.

Je m'aperçois qu'effectivement j'ai l'estomac en forme de blague à tabac vide.

— Volontiers, chère madame.

Elle me carre une assiette sous le nez et se met à y déverser du lard.

— Alors ! m'impatienté-je, braquant mon regard d'acier (je fais venir tous mes regards de Longwy) sur le Gros. Alors, mec, m'expliqueras-tu comment il se fait que tu sois revenu ici sans m'en informer.

— Je suis revenu à cause d'à cause ! déclare Bérurier.

— Et à cause d'à cause de quoi, Lamentable ?

— A cause d'une idée que je t'ai pas causée et qui me tourniquait sous le chapeau hier tandis qu'on s'en retournait à Pantruche.

— Je t'écoute.

Il me fait un signe discret pour m'expliquer qu'il ne peut parler en public. Ce signe se démultiplie de la façon suivante. Primo, il ouvre grande sa gu... édentée où tremble un râtelier disjoint. Deuxio, il ferme l'œil gauche. Troisio, il retrousse son nez. Et quatresio, il oppose son pouce à ses autres doigts à plusieurs reprises.

Mathieu tousse, sa femme se rechignonne, le garçon de ferme l'ouvre plus grande encore. On finit de tortorer en silence. Puis on se lève d'un commun accord et le Béru

des familles m'entraîne vers le pavillon voisin. Chemin faisant, je lui explique ce qui s'est
passé de mon côté.

Il ne se frappe pas outre mesure.

— En somme, t'es plus mon chef ?

— Non, ma vieille.

— J'ai toujours rêvé de te traiter de peau
d'hareng en toute tranquillité, Tonio, sou-
pire-t-il, et maintenant que je peux le faire
j'en ai seulement pas envie.

Deux larmes couleur de rosée sale perlent
au bord de ses cils farineux. Il les essuie,
comme il s'essuyait les lèvres naguère, dépo-
sant ce faisant du jaune d'œuf dans ses sourcils.

Je lui prends l'épaule, affectueusement.

— On ira à la pêche ensemble, promets-je.

— D'ac, dit-il, et on va commencer tout
de suite.

— Quoi ?

— Viens, tu vas voir. Je crois que je te le
tiens, ton élément nouveau. Si ça se trouve,
au lieu d'accepter ta démission, on te refilera
la Légion d'honneur.

Lui, pour entrer chez Vermi-Fugelune, il
n'a pas pris de précautions.

Un coup d'épaule dans la lourde — et vous

ne pouvez pas savoir ce dont est capable une épaule bérurienne — a suffi pour faire péter la serrure.

Nous contournons la maison. Derrière, entre le jardin et le bâtiment, se trouve un terrain sablé qui servait à jouer à la pétanque ou au croquet. Le Gros y a creusé un trou de quatre-vingts centimètres. Je me penche et je découvre la paroi goudronnée d'une citerne.

— C'est la citerne à mazout, m'explique le digne homme.

— Alors ?

— Je l'ai située à cause de la prise que tu vois là, au ras du mur.

— Eh bien ?

Il arrache d'un geste sec ce poil de nez exubérant qui repousse toujours aussi vivace.

— Je vais tout te bonnir.

— Merci, je commençais à claquer de curiosité.

— Hier, en rentrant, je me disais ceci. Pourquoi y avait-il du charbon dans cette cave, vu que le mazout est installé ?

— Oui.

— Alors c'est tout.

— C'est peu.

— Moi, ça m'a tourniqué dans la carafe ! J' suis comme ça, tu me connais. Une idée me vient, je la triture et faut que j'en aie le cœur net.

« Sur les choses de quatre heures, je pouvais pas en écraser, alors je me suis levé et je suis revenu ici. »

— Voyez-vous.

— J'ai inventé la cave !

— Inventorié, eh, truffe !

Il rougit.

— Je vous en prie, dit-il. Insulte à magistrat, ça peut vous coûter cher. N'oubliez pas, mon vieux, que vous n'êtes qu'un simple quidam.

Comme sa boutade me rend triste et qu'il s'en rend compte, il se grouille d'enchaîner.

— Je me suis aperçu que la chaudière avait été rétablie en chaudière à charbon. On avait enlevé les briques réfectoires et remis la porte du foyer. Le brûleur à mazout avait été placé à l'écart. Je me demande because. Je me dis : « c'était p't'être à cause de Suez, quand le carburant n'arrivait plus ». Mais des clous ! Il y a une rupture de la canalisation de mazout. Tiens, mords la came !

Il m'emmène à la cave.

Je mate. Et je découvre en effet qu'un joint a été disloqué comme sous l'effet d'une explosion, au ras du plafond. En y regardant de plus près, on peut se rendre compte que le mur est détérioré à l'endroit de la rupture.

— Ç'a été fait volontairement ! affirme le Gros. Oublie pas une chose, Tonio, avant d'entrer dans la rousse, j'ai été apprenti plombier et tu peux être sûr que, question tuyauterie, on me la fait pas !

— Pourquoi a-t-on détruit l'installation ?

— Parce qu'elle ne pouvait plus marcher !

Je le contemple, sans piger.

— Et pourquoi ne pouvait-elle plus marcher ?

— Remontons, fait-il.

J'obtempère.

Le Gros me guide jusqu'à la pelouse bordant le terrain sablé. Une toile de tente est étalée dans l'herbe. Et sous cette tente il y a des choses noires, informes, luisantes, difficiles à identifier.

— Qué zaco, Gros ?

— Tu vois vraiment pas ?

Je me penche et alors l'omelette de la fermière au chignon me remonte dare-dare au gosier. Ce sont des restes humains, les Gars. Parfaitement, des débris découpés en tronçons suffisamment petits pour être introduits par l'orifice de remplissage de la citerne à mazout. Ils ont mariné dans le fuel pendant un bout de temps. car ils se sont imprégnés complètement de cette matière visqueuse.

Ç'a dû être un boulot de patience.

— J'ai pas tout retiré, explique Béru. J'ai pêché avec un crochet, comme ça. A mon avis, faut dégager la citerne et la scier en deux, je suis pas partant. Déjà regarde mes vêtements, dans quel état ils se trouvent !

Entre nous soit dit, je n'avais pas remarqué les taches supplémentaires constellant ses effets.

— Béru, mon amour, balbutié-je, tu es un mec absolument sensas. L'homme qui remplace le beurre avantageusement et, le cas échéant, Sherlock Holmes.

Il hoche la tête.

— Moi aussi, mon cher ex-commissaire, je sais faire travailler ma manière grise. Parce que là, tu diras pas, mais c'est à la déduisance que j'ai fonctionné.

— Aussi tu auras droit à une ration de

poisson supplémentaire afin de te réapprovi-
sionner en phosphore !

— Qu'est-ce qu'on fait, maintenant ?

— On prévient le Vieux. Ça va lui en cou-
per pour trois ronds de flan.

-:-

La postière est une adorable brunette de
quatre-vingt-quinze kilos qui ressemblerait à
Gabriello si elle n'avait pas de moustache.
Elle a une façon de vous regarder qui vous
donne l'impression de suivre un match de
tennis car elle est affligée d'un strabisme
résolument divergent.

Je lui demande le numéro de la Grande
Cabane et elle s'écrie :

— Vous seriez t'y pas un ami de m'sieur
Mathieu ?

— Pourquoi ? m'étonné-je.

— Il a demandé ce même numéro ce matin.

Tant de perspicacité me trouble. Décidément tous mes contemporains ont des dons
de limier, ce matin. Je suis la seule patate en
circulation.

La voix âpre du Vieux retentit.

— Je croyais que vous ne faisiez plus partie de la maison, San-Antonio.

Paraît qu'il a mal digéré la façon dont je l'ai plaqué tout à l'heure après lui avoir colloqué délibérément ma démission devant le brigadier Jean Névudotre.

— Aussi est-ce en qualité de client que je vous appelle, monsieur le directeur.

— Vraiment ?

— Jugez-en. Je viens de découvrir dans une citerne à mazout les restes découpés en menus morceaux d'un inconnu. Je devais bien en informer la police pour agir en parfait citoyen, n'est-ce pas ?

Du coup il moule ses trémolos vengeurs.

— Racontez !

— Dans la maison de Neauphle, monsieur le directeur. Celle qu'habita Messonier. Je crois ainsi démontrer que tout n'était pas éclairci dans cette affaire et que par conséquent...

— Pas possible ! Avez-vous une idée...

— Les quidams n'ont pas d'idée, m'sieur le directeur. Je lirai la marche de l'enquête dans mon journal habituel.

Il s'emporte.

— Commissaire, pensez-vous que ce soit le moment de plaisanter ?

— Mais...

— Alors au travail ! Je veux la vérité en vitesse ! J'ai des gens au-dessus de moi qui m'en font voir de toutes les couleurs et je ne serais pas fâché de leur clouer le bec.

— O.K., patron.

Me voilà déjà réintégré, on dirait, non ? Du train où vont les choses, je vais p't'être avoir de l'augmentation. En attendant, je dois à Bérurier une chandelle grosse comme la colonne Vendôme !

CHAPITRE XVI

Pendant que les techniciens boulonnent à déboulonner la citerne, je rallie Paris en compagnie de Mahousse. Bérurier, heureux comme le printemps, chante à tue-tête une merveilleuse complainte dans laquelle il est question d'un invalide dont une partie délicate de l'individu est en bois ; ce qui, entre nous, doit avoir des avantages à certains moments.

Son hymne étant à la mesure de son contentement, il me fracasse le tympan.

— Mets une sourdine, Gros, supplié-je. J'aimerais bien entendre une dernière fois un disque de Brassens avant de m'engloutir dans le monde du silence.

Il se tait, mais pour parler, si j'ose cette hardiesse de style.

— Mes choses ! dit-il.

Je lui sais gré de rester dans le vague.

Il ajoute, rageur :

— De quoi je me mêle. Un civil qui vient vous les briser sans qu'on lui cause ! C't' un comble.

— J'ai oublié de vous dire m'sieur l'inspecteur, que ma démission a été refusée.

— Ça me donne envie d'envoyer la mienne ! riposte l'Enflure.

Puis, réalisant et d'une voix de brave homme :

— Sans charre, c'est vrai, Tonio ?

— Appelez-moi monsieur le commissaire, je vous prie !

-:-

C'est vachement bonnard de retrouver son vieux burlingue qui pue l'administration après une aussi chaude alerte.

Je mande Magnin.

— Qu'est-ce que ça a donné, la planque près de la voiture de Geneviève Coras ?

— Que dalle, la dame n'est pas encore revenue chercher son os. Sans doute a-t-elle compris le danger qu'elle courait en roulant dans sa propre voiture ?

— Très bien, continue tout de même à faire surveiller le cabriolet.

— Entendu.

— Cherche-moi l'adresse du célèbre acteur Vermi-Fugelune. J'ai envie d'un autographe.

— Sans blague.

— Au bas d'une déposition ! On a des nouvelles de Messonier ?

— Toujours dans le cirage.

Je fais la moue.

— Pourvu qu'il en réchappe.

— S'il en réchappe, fait doucement remarquer Magnin, on lui coupera la tête pour activer sa convalescence.

-:-

La servante qui vient m'ouvrir paraît terrorisée par ma prétention. Elle lève les yeux au ciel d'un air inspiré en m'objectant qu'il est midi, ce que ma montre m'avait déjà appris.

— Monsieur dort ! affirme-t-elle, monsieur se couche toujours très tard et monsieur ne se réveille jamais avant deux heures !

— Sauf si un commissaire de police le

réclame, je suppose ? objecté-je en carrant ma
carte sous l'œil éberlué de la personne.

Elle admet que ça change la physionomie
du problème et me fait entrer dans un délicieux boudoir où l'on a envie de faire
n'importe quoi sauf bouder. C'est tendu de
feutrine bleue et les meubles sont anglais, de
même que les gravures accrochées aux
murs.

Au bout d'un quart d'heure employé par
moi-même à réfléchir longuement sur cette
ténébreuse affaire et par Vermi-Fugelune à
s'éclaircir les idées en se raclant le cerveau
avec un rince-bouteilles, ce dernier paraît les
tifs en bataille, drapé dans une robe de
chambre très discrète, en satin mauve qu'une
brodeuse patiente a constellée de papillons
multicolores.

Le gars est blond-pédé, avec une barbe
d'imberbe et l'œil glauque comme une
marenne. Il s'exprime nonchalamment, du
bout des lèvres, en garçon dont on paie très
cher chaque syllabe qu'il profère.

— Vous êtes de la police ? me demande-
t-il.

— Ça ne se voit pas ? objecté-je.

Il m'enveloppe d'un regard dénué

d'expression. Je vous parie la même chose
que l'autre jour contre bien moins que
demain qu'il a le cerveau qui fait de la chaise
longue, messire le pelliculé. Ou alors... Oui,
ou alors il se bourre le naze itou.

— Pas trop, fait-il, en réponse à ma
contre-question. Je vous dirais bien de vous
asseoir, mais vous êtes déjà assis.

Je lui décoche un tendre sourire.

— On m'a dit que vous vous reposiez, j'ai
voulu vous éviter un surmenage supplémentaire.

— La police évolue. Qu'est-ce qui se
passe, j'ai écrasé un pékinois ?

— Je ne pense pas.

— Un danois, peut-être ? ironise cette
crème de beauté.

Je l'emplâtrerais.

— Ça n'aurait pas grande importance, sauf
naturellement si l'accident avait eu lieu à
Copenhague.

Il resourcille. Souvent je rencontre des
gens blasés qui me snobent parce qu'ils
prennent les flics pour des mous de la
tronche et qui finissent par réagir à mon
esprit.

— O.K., je vous écoute.

— Je viens au sujet de Messonier.

S'il me voyait boire le contenu d'un aqua-rium, il ne serait pas davantage sidéré.

— De Messonier !

— Ça vous étonne ?

— Un peu, car je pensais l'affaire classée. On ne doit pas le passer à la purge un de ces jours ?

— Il en est terriblement question.

— Qu'est-ce que vous voulez que je vous raconte ?

— Il était votre ami ?

— Autrefois !

— Je me doute bien qu'il ne l'est plus, renchéris-je amèrement. Vous l'aviez connu où ?

— Sur le plateau. Il avait mis du fric dans un film dont j'étais la vedette.

— Lui, commanditaire ?

— Tout au moins, il avait amené un finan-cier. Bref, nous sommes devenus copains.

Je vois le topo. Nouba, coco et demoiselles.

— Comment se fait-il que vous lui ayez laissé votre maison de Neauphle ?

— Je partais à Hollywood tourner « Je ne te veux qu'une fois ». Je n'avais pas besoin de ma maison...

— C'est lui qui vous l'a demandée ?

— Oui.

— Quel motif a-t-il invoqué ?

Vermi-Fugelune hausse les épaules. On a l'impression que ses papillons brodés vont s'envoler.

— Il était l'ami d'une femme mariée qui possédait une baraque dans ce coin ; ça l'arrangeait.

— Vous avez appris ses exploits aux U.S.A. ?

— Oui, un ami m'a écrit.

— Qu'avez-vous fait ?

— Que vouliez-vous que je fasse ?

— Ça vous a surpris ?

Il réfléchit et fait une moue qui ne parvient pas à l'enlaidir.

— Oui et non ! Gilbert pouvait faire n'importe quoi ! C'était le genre de gars capable de devenir aussi bien Landru que le docteur Schweitzer, vous comprenez ?

— A votre retour d'Amérique, vous avez cherché à le voir ?

— Vous rigolez ? Il était au gnouf, je ne suis rentré que depuis peu de temps.

— Il vous a écrit depuis son arrestation ?

— Pas un mot ! Avouez que ça n'est pas chic.

Ça l'aurait flatté, cet homme célèbre, un autographe de meurtrier. Il aurait pu publier la lettre dans Cinémonde, avec une photo de lui en cow-boy à Las Vegas.

— Vous avez donc repris possession de votre maison de campagne ?

— Naturellement, la clé était chez mon homme d'affaires.

— Vous n'avez rien remarqué de particulier à Neauphle ?

— Non, pourquoi ?

— Aucune détérioration pendant votre absence ?

Il réfléchit, puis secoue sa ravissante tête pour caméra.

— Non, je n'ai pas remarqué.

Ça se met à grincer dans les rouages de mon subconscient.

— Vous vous chauffez comment, là-bas ?

— Au mazout ! En voilà une drôle de question.

— L'installation de mazout est en état de marche ?

— Vous alors ! fait-il... On se demande où

vous allez les chercher ! Je suis rentré en
France au printemps et n'ai pas eu l'occasion
encore de mettre le chauffage.

— Vous êtes descendu à votre cave ?

— Ça se peut, je n'ai pas souvenance. Si je
suis allé deux ou trois fois à Neauphle, entre
deux films, c'est le bout du monde. On y va
avec des copains, comme ça, histoire de...

Il n'achève pas. Inutile d'ailleurs. Effectivement, ils y vont histoire de...

— Si bien, cher Vermi-Fugelune que vous
ne vous êtes pas aperçu que votre chaudière à
mazout était redevenue une chaudière à charbon ?

— Hein ?

— Vous n'avez pas vu que la canalisation
du fuel est pétée et qu'il y a du charbon dans
la cave ?

— Mais pas du tout ! En voilà du nouveau. Et d'abord comment le savez-vous ?

— J'ai un petit doigt qui est abonné à
l'agence France-Presse.

— Très drôle.

— Avant votre départ pour les States,
vous avez eu l'occasion de rencontrer la maîtresse de Messonier ?

— Non.

— Vous savez qui elle était ?

— Pas du tout, et je m'en foutais, mon vieux ! Vous savez, dans notre milieu on a le sens et le goût de la liberté. Et même l'esprit large.

— Vous saviez que Messonier se droguait ? l'interromps-je sans me départir de mon calme.

Il se trouble un peu, à peine et, très vite, récupère son insolence languide.

— Ça le regardait, non ?

— C'est vrai, j'allais vous le dire. Sa maîtresse également se droguait. Elle se drogue toujours, en fait, affirmé-je en caressant ma bosse d'un doigt prudent.

— C'est en rapport avec l'affaire ?

— Je me le demande.

« Bon, je m'excuse de vous avoir fait lever de si bonne heure, conclus-je. »

Le jeune premier ricane.

— Vous partez déjà. Vous êtes certain de ne pas avoir d'autres questions à me poser ?

— Si, fais-je, une dernière.

Je désigne son incroyable robe de chambre.

— Vous savez que les papillons sont des chenilles transformées ? Eh bien, la vérité subit la même métamorphose ; mais à l'envers. Le moment vient où elle perd ses belles ailes chatoyantes appelées mensonges pour devenir une vilaine chenille poilue. Bonsoir !

Je le laisse sur cette comparaison extrêmement littéraire qui me vaudra un fauteuil sous la coupole lorsque je serai fatigué. Que dis-je : un fauteuil ! Un rang ! Car on manque de réassort chez les verdâtres.

Ma joie est de partir en lui laissant ignorer la macabre découverte que Béru a faite chez lui. Les journalistes sauront mieux lui raconter ça que moi, à ce souilleur de pellicule.

CHAPITRE XVII

Sorti de chez l'acteur, je fonce dans une proche brasserie où je commande un sandwich pain-de-mie-jambon-beurre, un demi de blonde, et la communication avec la gendarmerie de Neauphle-le-Château. J'obtiens ces trois choses dans l'ordre précité, c'est donc la bouche pleine que je m'adresse pour commencer à l'adjudant de gendarmerie Cognemout. Il me prend d'abord pour un Auvergnat, mais j'avale mon sandwich et mon élocution devient aussi audible que celle de M. Pierre Fresnay soi-même.

— Ici commissaire San-Antonio.

— Mes respects, qu'il fait, le pédaleur de charme.

— Vous allez visiter immédiatement les marchands de charbon de votre région en leur demandant s'ils ont livré du charbon

chez Vermi-Fugelune, et si oui à quelle date.
Voyez par la même occasion les fumistes et
autres installateurs de chauffage central pour
savoir qui a modifié l'installation. Compris ?

— Compris, monsieur le commissaire.

— Vous m'appelez à mon bureau.

— Entendu.

Je retourne à l'air libre terminer mon
demi. Mon crâne est lourd de pensées inquié-
tantes. Quelle affaire, mes aminches ! Quelle
affaire !

-:-

A trois heures, je retrouve l'ombre fraîche
de mon bureau. Le beau temps ruisselle sur
la capitale comme un torrent de lumière (où
est-ce que je vais chercher des comparaisons
pareilles, je vous le demande !). L'ineffable
Pinaud est très affairé car il se livre à une
question délicate consistant à attacher des
hameçons triple zéro sur du deux centièmes.
Chaque fois qu'il veut casser le fil avec ses
dernières dents, il se pique l'hameçon dans
les bacchantes et tout craque.

Je demande l'hosto. L'infirmier-chef
m'apprend que Messonier a repris connais-

sance, mais qu'il est bien trop faible pour parler. Ceci dit, ses jours ne semblent pas en danger ; voilà qui va rasséréner le pauvre bourreau. Magnin me donne une réponse négative concernant Geneviève. La chérie paraît s'être désintégrée.

Elle n'est pas revenue à son fameux cabriolet et personne ne l'a revue. C'est donc moi qui suis de la revue.

Je me demande ce que je pourrais bien fiche pour faire avancer l'affaire lorsque le vaillant Béru radine, plein de beaujolais jusqu'aux sourcils. Il a fêté ses succès au troquet du coin et, outre la vinasse, il fleure bon l'ail de l'année.

— Quoi de nouveau, beau commissaire ? demande-t-il en ponctuant sa question de trois hoquets.

— J'ai vu Vermi-Fugelune. Il ignore qu'on a bricolé son chauffage.

Le Gros déboutonne le bouton du haut de son pantalon, laissant s'épanouir son abdomen gonflé de boisson fermentée.

— Les acteurs, fait-il, c'est des paumés, tu remarqueras. Ils savent jamais où qui z'en sont de leurs amours, de leur compte en banque et de heug... du reste !

Là-dessus, M. l'inspecteur Bérurier s'affale comme une vache foudroyée dans un fauteuil conçu pour des poids plus humains.

— Des nouvelles de ta gonzesse ? glou-gloute-t-il.

— Non. Elle est toujours pas venue ramasser sa trottinette.

Messire La Gonfle bâille à vous flanquer le vertige.

— Tu trouves pas ça curieux ? éructe-t-il.

— Quoi ?

— Qu'elle soit allée à son garage, en pleine nuit, chercher son auto, et qu'elle abandonne celle-là en plein Paname ? A quoi ça lui a servi ?

— C'est vrai. Remarque qu'une fois à son volant elle a sans doute réfléchi et compris que ça ne servait à rien de fuir.

— A moins qu'autre chose ! dégouline le Gros.

Le voilà qui joue encore les chevaliers Mystère, troisième épisode.

— A moins que quoi ?

— Qu'elle ait eu quelque chose à récupérer dans sa brouette, gars !

Je lui refile mon regard admiratif numéro dix bis, celui que je ne réserve ordinairement qu'à la reine d'Angleterre et aux lolos de Sophia Loren.

— Dis donc, Enorme, tu t'es refait carrosser le cerveau par Capron, on dirait. Il a la ligne italienne maintenant.

Le Béru secoue sa tronche apoplectique.

— P't'être ben qu'au royaume des aveugles les borgnes sont rois, déclare-t-il fort modestement.

Pinaud pousse un cri de souffrance. Il s'est arrimé un hameçon à truite numéro quatre dans la lèvre supérieure et son sang d'inspecteur principal glougloute dans ses moustaches qu'il ne teint habituellement qu'au jaune d'œuf.

Je laisse mon petit monde à ses occupations. Une envie de piloter la bagnole de Geneviève Coras vient de s'emparer de moi, aussi cruelle qu'une crise d'urticaire.

En homme déterminé, je mets le cap sur le Raspail. Mon *vade retroviseur* (un Satanas, le meilleur) me réfléchit une image désolante de moi-même. J'ai une barbouze de marchand de marrons.

Je fais plus gangster en cavale que flic émérite sur le sentier de la guerre. Je réalise

un peu le mépris de Vermi-Fugelune tout à
l'heure. Pour un mec qui se loque chez Lapi-
dus et qui se fait friser les poils sous les bras,
mon académie est profondément méprisable.
Mon costar est plus fripé qu'une robe de
mariée le lendemain matin, et j'ai les roberts
rougis par l'insomnie.

Si j'avais le temps, je passerais à la baraque
pour le bain qui s'impose et j'en profiterais
pour revêtir d'autres atours. Mais voilà, dans
ma situation ambiguë (voir sur les grands
boulevards) on n'a pas le droit de distraire la
moindre parcelle de son temps (même si elle
s'ennuie) pour des questions superficielles.

Je file boulevard Raspail où je n'ai pas le
moindre mal à trouver le cabriolet anglais de
la belle Geneviève. Le zig qui le surveille,
c'est Tadelestomac, un Polonais d'origine
russe naturalisé français qui fait partie de nos
services depuis relativement peu de temps. Il
est blond, avec un regard intense et un naze
crochu. Il ne fait pas flic, malgré son imper
sombre à épaulettes ! et c'est là, je pense, son
principal mérite. Avant que de monter dans
le véhicule à essence de ma maîtresse d'un
instant, je l'aborde. Il rectifie la position en
reconnaissant son chef vénéré.

— Personne ne s'est approché de cette auto, Tadelestomak ?

— Non, monsieur le commissaire.

— Sûr ?

— Certain ! J'ai l'œil.

Il l'a même en double exemplaire, heureusement pour lui. Sans hésiter je prends place dans la petite bagnole sport en songeant *in petto* car il m'arrive je vous l'ai déjà dit, de penser en latin, qu'il me faudrait une petite chignole commak pour balader certaines bergères de ma connaissance dans les bois ombreux de l'Ile-de-France !

Je commence par le commencement, à savoir que j'explore scientifiquement la boîte à gants. C'est bien une voiture de femme, les gars. Dans ce fourre-tout, elle a fourré les objets de première nécessité que doit posséder un automobiliste inverti, à savoir : un vieux poudrier de secours, un tube de rouge labial dans les tons cyclamen (pour les parties de campagne je suppose) ; un carnet de rendez-vous sur lequel elle n'a rien inscrit, un crayon à bille sans encre, un crayon à zyeux sans yeux, une savonnette à la glycérine (la marque Nitro, celle de l'élite) et enfin un numéro d'Elle plié en quatre. Je me dis qu'en

cas de panne dans les steppes de l'Asie Cen-
trale elle ne serait pas fauchée, même si elle
avait Borodine comme coéquipier.

Je procède à une semblable vérification
dans les poches à soufflets latérales, mais
celles-ci ne contiennent qu'une carte routière
de la France intégrale et une ficelle de petit
paquet récupérée « à toutes fins inutiles ».

S'il y avait quelque chose de particulier, de
compromettant, de dangereux ou de ce-que-
vous-voudrez, dans l'automobile, ce quelque
chose n'y est plus. Je me retire de la calèche.
Armé de mon sésame, je tripatouille la serrure
du coffre. Vide, le bahut ! Du moins si l'on
excepte les deux roues de rechange et la
trousse à outils ti-la-la-hi-ti ! Manque de
bol !

Je m'apprête à me tailler lorsque je me dis
que je n'ai pas regardé sous les coussins de la
guinde. Aussitôt pensé, aussitôt exécuté.
Bidon sous le premier coussin, bidon aussi
sous le second. Je les replace convenablement
et voilà qu'un minuscule détail retient à re-
tardement mon attention. J'ôte le deuxième.
Pas d'erreur, il y a sur le tissu de dessous une
petite tache d'huile assez inattendue à cet
endroit, convenez-en. Je puise dans mes

vagues inépuisables une petite loupe grosse comme une pièce de cinq francs.

Je mate scientifiquement, plus Sherlok Holmès que le vrai. Et mon siège est fait, comme dit un gynécologue de mes relations. Pas d'erreur, il y avait un revolver à cet endroit. L'huile est de l'huile de graissage pour arme à feu. D'autre part, en regardant attentivement l'envers du coussin, on peut y découvrir, en creux, la silhouette de l'arme.

— Ça biche, pêcheur ? demande une voix familière, cependant que j'essuie une claque sur la partie postérieure de mon individu.

Volte-fesse du San-Antonio joli. Qu'as-pers-je ? L'effrayant Béru, plus sanguin que jamais qui se marre comme trois portions de Brie entamées. A ses côtés le doux Magnin, l'air d'un instituteur qui reçoit M. l'Inspecteur.

— Qu'est-ce que vous foutez là ? je demande, cérémonieux.

— Nous avons reçu une communication téléphonique de la gendarmerie de Neauphle, monsieur le commissaire, fait Magnin. Comme nous pensions que vous étiez ici...

— C'est moi que j'ai eu cette pensée, rectifie le Gros. Et, foudroyant Magnin de son regard violacé : « Monsieur a des pluriels qui me paraissent singuliers », renchérit l'obèse.

— Alors ? demandé-je. La réponse.

— Aucun fumiste, aucun plombier n'est allé faire de travaux chez Vermi-Fugelune. Aucun marchand de charbon n'y a livré de combustible.

— Merde ! dis-je en toutes lettres. J'espérais beaucoup de ce côté-là. Les archers de Neauphle ont bien investigué ?

Magnin prend son air sentencieux 18 ter, celui qu'il avait à l'oral de son Brevet supérieur.

— Monsieur le commissaire, vous n'ignorez point à quel point les gendarmes sont des gens consciencieux.

— C'est vrai.

— L'adjudant de gendarmerie prétend que tous ses hommes et lui-même sont partis dans la région. En deux heures ils ont rayonné dans toutes les localités avoisinantes et ont prévenu leurs collègues des gendarmeries limitrophes pour leur demander de faire de même.

— Alors c'est mort, conviens-je.

Nouvelle intervention du Mahousse qui ne

peut se confiner plus de quatre minutes vingt-deux dans un silence de bon aloi.

— Qu'est-ce qui est mort, monsieur le commissaire de mes Choses ?

— Un début de piste.

— Viens écluser un gorgeon, dit-il, je vais te prouver qu'au contraire c'est au poil que les bignolons n'aient pas repéré de marchand de charbon.

— Comment ?

— Viens, que je te dis, j'ai la pépie. Moi l'insomnie me donne soif !

Magnin et moi le suivons donc jusqu'à une brasserie néonée, plastifiée, formiquée et accueillante du boulevard Saint-Germain.

Nous nous abattons sur les banquettes comme trois albatros fourbus sur le pont d'un navire.

— Trois Juliénas de la propriété ! lance le Gros qui, décidément, fait preuve dans cette affaire d'un esprit d'initative surprenant.

Le loufiat obéit. Le Gros tète le breuvage, l'admet, vide son verre, clape de la langue, indique par la mimique d'usage qu'il faut le lui emplir à nouveau et, joignant ses effroyables pattes de chourineur sur la table, commence :

— T'as demandé aux matuches de Neauphle d'aller chez les marchands de charbon
parce que tu t'es dit qu'après la détériorence
du conduit à mazout...

— Oui, oui, coupé-je. Je me suis dit que...
alors ?

— Ce qu'il est impatient ! jubile Béru en
me désignant à Magnin d'un revers de son
pouce spatulé.

Magnin reste impavide. Quand on a une
carrière à faire, on ne se paie pas la hure d'un
commissaire, surtout si ce magistrat se trouve
être votre chef direct.

Consterné par ce « bide », le Gros se ren-
frogne ; et c'est d'un ton plus grave qu'il
enchaîne :

— D'après toi, le gars qui a bousillé l'installation après avoir glissé le cadavre dans la
citerne a fait rentrer du charbon et modifier
la chaudière pour qu'elle puisse être utilisée
sans mazout ?

— Tu te répètes, Gros.

— C'est pas inutile, ça charme même des
fois, regarde « Le Beau Danube Bleu et le
Beau Léro de Ravel » !

— Après ! fait Magnin, pour me montrer
qu'il compatit à mon agacement.

— Après ! dit le Gros. Eh ben, le fait qu'aucun bougnat de par là-bas n'a livré de charbon chez l'artisse, prouve que l'assassin l'a amené lui-même, le charbon. Et qu'il a modifié l'installation tout seul.

Je vide mon verre d'un gosier rageur. J'ai la glotte en effervescence.

— C'est tout ! dis-je. Voilà pourquoi tu faisais tant de mystères, eh ! patate !

Il abat son poing sur sa table.

— Si t'étais pas mon supérieur, San-A., je te traiterais de tous les noms que tu mérites. Tu piges pas l'importance que ça a que l'assassin ait amené son charbon lui-même ?

— Non.

— Ça prouve que c'est pas Messonier qui a fait le coup. Si ç'avait été lui, du moment qu'il habitait cette crèche, y avait pas d'importance à ce qu'il commande du charbon. Seulement quelqu'un d'autre inconnu au pays pouvait pas se permettre cette fantaisie sans se faire remarquer... Alors le quelqu'un a amené un ou deux sacs de cinquante kilos, en douce...

— Quelle idée ! Un coup de fil aurait suffi

si le quelqu'un dont tu parles ne voulait pas se montrer.

— Et pour réceptionner le bougnat ? Et pour le payer ?

Je ferme les yeux. Il tourne autour de quelque chose d'intéressant, mon gros Béru. On a dû lui injecter de l'extrait de cervelle à plein bol.

— Et je vais te dire, d'après moi, la raison principale de ces précautions. Tout ça a eu lieu *après* l'arrestation de Messonier. J'ai dénoyauté mes cousins Mathieu ce matin, avant que t'arrives. Paraîtrait que deux nuits après le crime de Messonier, ils auraient entendu une voiture s'arrêter à côté. Ils ont pensé que c'était la police qui venait enquêter.

Je fais claquer mes doigts.

— Que ne le disais-tu plus tôt, essence d'imbécillité !

— Je t'en prie !

Je ne l'écoute pas. D'un bond je quitte ma banquette, de deux autres je me propulse à l'escalier du sous-sol et de trois derniers j'atterris sous le nez chaussé par les Frères Lissac d'une Madame Pipi aimable qui lit un journal en couleurs naturelles avant de le

découper en rectangles de treize centimètres
sur dix-huit.

— L'annuaire des téléphones, please !

Elle me prend pour un Anglais parlant très
bien le français ou pour un Français parlant
très peu l'anglais, et, à tout hasard, me
désigne un fort volume empli de personnages. Je le feuillette d'un index rompu à
tous les sports. Et je trouve le nom que je
cherche en moins de temps qu'il n'en faut à
un lecteur averti pour sauter l'article de fond
du *Figaro*.

Je note l'adresse. Je ris très fort : mais
alors très très fort parce qu'il est bigrement
agréable de constater que la nature vous
débloque un nouveau contingent de matière
grise.

La vioque prépare un jeton.

Dans son usine à déchets, c'est pas les
jetons qui lui manquent.

— Non, sans façon ! lui réponds-je en
repoussant le disque de métal d'un geste
dédaigneux.

Me revoilà en compagnie de mes gars.

— Arrivez ! ordonné-je. On va à la
châtaigne. Il faut les cueillir quand elles sont
mûres...

— D'accord, mais paie la tournée ! déclare Béru.

Il ajoute :

— C'est pas que je soye radin, mais je pars du principe qu'en service commandé j'ai pas à carmer mes faux frais.

CHAPITRE XVIII

C'est une vieille bonne qui vient m'ouvrir.
Petite, rondouillarde, et l'air pas commode.
Le genre de fille revêche qu'on engage un
matin en se disant qu'avec cette tronche-là on
ne la supportera pas plus de quarante-huit
heures, mais qui finit par élever vos petits-
enfants !

— Vous avez un rendez-vous ?

— Non, mais...

— Alors c'est impossible. D'ailleurs Monsieur revient de voyage et...

— Ç'a été un voyage éclair, souris-je, car
nous étions ensemble il n'y a pas tellement
longtemps.

Je lui montre qui je suis. Elle ne s'étonne
pas outre mesure. Simplement son obstruc-
tion fléchit.

— Je vais voir.

Elle va voir.

Deux minutes plus tard, maître Alban Désacusaix s'annonce, souriant, le battoir tendu.

— Quelle surprise ! Vous, cher commissaire !

On se serre la louche cordialement.

— Je ne vous dérange pas, maître ? Votre Intelligence-Service m'apprend que vous rentrez de voyage ?

Il hausse les épaules.

— Elle grossit tout. Je suis seulement allé à Montmorency où je possède une propriété. Les jardiniers sont terribles. Ils m'envoient des factures comme s'ils avaient le parc de Versailles à entretenir et quand j'arrive chez moi, ça n'est pas du gazon que je trouve mais du foin. Quoi de nouveau depuis cette nuit mémorable ?

— Mme Coras a disparu !

— Hein !

— Tel que, mon bon maître.

— En fuite ?

— Non : décédée !

Il ouvre des gobilles grandes comme l'entrée du tunnel de Saint-Cloud.

C'est façon de parler, car il attend que je parle au contraire.

— On est peu de chose, hein ?

— Que lui est-il arrivé ?

— Je l'ignore au juste. Tout ce que je sais, c'est qu'elle a été assassinée.

— Grand Dieu ! Quelle affaire !

— A qui le dites-vous !

— Vous êtes certain de ce que vous avancez ?

— Oui.

— On a retrouvé son corps ?

— Pas encore, mais je sais où il est.

— Ah oui ?

— Oui. Il se trouve du côté de Montmorency, vraisemblablement dans la propriété d'un avocat.

Le mecton tourne au jaune caca-d'oie.

— Votre plaisanterie, commissaire, est plutôt...

Je le coupe net.

— Ah non ! Epargnez-moi la tirade sur les plaisanteries et évitez de nier, ça ira plus vite. Vous connaissez trop bien votre métier pour vous mettre à ergoter quand vous êtes confondu.

— Mais enfin !

— Geneviève Coras est venue vous trouver ce matin. Elle était armée. Elle a com-

mencé par vous dire qu'elle était dans le
pétrin et vous a demandé de l'en sortir. Elle
s'est faite menaçante. Vous l'avez calmée et,
pour éviter le scandale ici, vous l'avez emme-
née. Ne niez pas, j'ai interviewé votre
concierge, elle a vu entrer Mme Coras à une
heure ultra-matinale et vous a vu ressortir en
sa compagnie...

Désacusaix hausse les épaules.

— Effectivement, elle est venue me
demander conseil, mais...

— Mais ?

— Mais je ne l'ai pas tuée, Grand Dieu !
Mon travail consiste à défendre les gens, pas
à les supprimer...

— Je trouve que vous les tuez mieux que
vous ne les défendez, mon vieux !

— Je vous interdis !

— Oh ! Oh ! Ecrasez. Vous allez me
suivre gentiment, on va continuer cette
conversation dans mon bureau ; il y a plus
d'ambiance !

— Je proteste contre cette arrestation !
Vous avez décidément décidé de stopper
votre carrière, San-Antonio. Je peux vous annoncer que ça ira mal pour vous ! Pour commencer, je vous informe que je ne vous sui-

vrai pas avant que vous m'ayez présenté un mandat d'amener régulier. Et que...

Je vais ouvrir la porte d'entrée.

— Psst !

Le Gros et Magnin s'annoncent. Ils en avaient classe de moisir sur le palier.

— Embarquez-moi ce monsieur de gré ou de force ! leur dis-je.

— C'est une honte ! glapit l'avocaillon. Je vais de ce pas téléphoner à...

— A mes trucs ! dit le Gros en lui propulsant une mandale qui couche le cher Maître.

Bonne âme, il le relève par sa cravate. La vieille servante dévouée depuis trois générations arrive à la rescousse avec son plumeau. C'est la charge de la brigade sauvage. Elle fait un ramdam qui rendrait sourd M. Armstrong en personne.

Je me tourne vers Désacusaix.

— Dites à votre vieille nourrice de la fermer et de ne pas faire d'histoire, je parle dans votre propre intérêt.

Sent-il qu'il ne gagnera rien à regimber ? Toujours est-il que l'avocat se calme et enjoint à sa déplaceuse de poussière d'en faire autant.

Nous l'emmenons sans mal. Il est pâle, mais semble déterminé. Comme nous prenons place dans ma charrette fantôme, il demande :

— Qu'est-ce qui vous a conduit chez moi ?

Je souris.

— Ceci, fais-je en lui désignant le cabriolet rouge de Geneviève Coras. C'est l'auto de votre victime. *Elle était stoppée presque devant votre porte !*

Une fois à la Cabane Coup de Triques, c'est encore Désacusaix qui questionne.

— Mais pourquoi avez-vous pensé que Geneviève Coras pouvait m'avoir rendu visite ?

— A cause d'une idée, mon beau maître. Une idée que je me reprocherai toute ma vie de n'avoir pas eue plus tôt. Si je l'avais eue, cette idée-là, Geneviève Coras serait peut-être encore vivante.

Et d'expliquer.

— Hier, quand elle est venue me trouver, elle m'a dit que Messonier allait être exécuté aujourd'hui. *Or, une seule personne pouvait lui avoir appris cette nouvelle que j'ignorais moi-même : vous !* Vous, l'avocat du

condamné. Car la presse n'informe le public
que lorsque tout est consommé. Donc, elle
était en rapport avec vous ! J'ai cherché votre
adresse dans l'annuaire et me suis aperçu que
vous habitiez boulevard Raspail. Maintenant
il faut vous mettre à table, mon bon ami.

— Je n'ai rien à dire. Geneviève Coras est
venue me parler de ses avatars de la nuit afin
de me demander conseil. Je lui ai dit qu'elle
devait vous voir et je lui ai proposé de
l'accompagner ; elle a accepté. Nous sommes
partis. Une fois dehors, elle m'a dit qu'elle
préférait venir seule ici. Comme j'étais levé,
j'ai décider de profiter de l'occasion pour aller
à Montmorency.

— Rien à ajouter ? je questionne flegma-
tiquement.

— Rien, sinon que je proteste contre cette
arrestation arbitraire.

— Allons donc ? vous savez bien que vous
êtes venu ici de votre plein gré. Ces messieurs sont prêts à en témoigner.

— C'est une indignité !

— Bon, réfléchissez, on vous reverra plus
tard. Pour l'instant j'ai mieux à faire. A propos, l'adresse de votre maison à Montmorency ?

— Allée des Platanes. « Mon Repos ».

J'ordonne à Magnin de coller mon client dans la volière et je demande à l'inspecteur Bérurier s'il veut bien m'escorter jusqu'à la villa de l'avocat.

« Mon Repos » ! C'est choisi, non ?

« Mon Repos Eternel » me paraît mieux indiqué.

J'ai horreur des demi-mesures.

CHAPITRE XIX

Le Gros est bourru, soudain. Il espérait mener cette enquête seulâbre, en mystifiant son chef vénéré. Qui sait, caressait-il peut-être des espoirs d'avancement dans son cerveau plein de vinasse. Un coup d'éclat alors que votre supérieur est en disgrâce, ça peut payer. Avec ça que Monsieur est cocu au point de ne pas oser acheter de bifton de la Loterie de crainte de passer pour cupide !

— Ecoute, fait-il, pourquoi tu l'estimes coupable, le bavard ?

— Parce qu'il l'est, fais-je.

Le mastok allume une cigarette.

— Alors tu te rappelles d'un seul coup que la femme était au courant de l'exécution. Tu te dis : seul l'avocat... Bon ! Admettons. Tu vérifies son adresse. Tu t'aperçois que l'auto de ta nana est stoppée devant l'immeuble du zig... Bon, j'admets ! Tu cuisines son pipelet, tu t'aperçois que la môme a rendu visite le matin à Désacusaix et qu'il est ressorti avec elle !... Bon, je discute pas. Mais toi tu dis : voilà le coupable ! Tu l'emballes comme quoi il a tué la Geneviève.

« Tu l'arrêtes, sans mandat : un avocat ! Et tu... »

— Toi, tu me casses les oreilles et un tas d'autres choses !

Il la boucle.

— Bon, je discute pas. Môssieur est buté ! Môssieur fait sa crise ! Môssieur se prend pour le Félix !

Nous n'échangeons plus une syllabe jusqu'à Montmorency. La rue des Platanes est une mignonne avenue bordée d'acacias ainsi que son nom le laisse supposer. La villa « Mon Repos » est au bout.

L'habitation idiote, en meulière, avec de la faïence autour des fenêtres. Seul le jardin est vaste. Moins mal entretenu en tout cas que ne l'affirmait son propriétaire. Je commence par l'explorer, mais je me rends vite compte qu'aucune parcelle de terrain n'a été remuée depuis plusieurs jours. S'il y a du louche dans la casba, c'est à l'intérieur que ça se

tient. Sésame, ouvre-moi ! C'est réticent, ça,
madame, because on te l'a pourvu d'un verrou de sécurité, histoire de freiner les hon-
nêtes voleurs. Mais les portes sont comme les
femmes, aucune ne m'a jamais résisté très
longtemps.

J'entre et je suis frappé par quelque chose.
Et vous savez par quoi ? Non, puisque je ne
vous l'ai pas encore révélé et que vous n'avez
pas plus d'imagination qu'un champignon de
fausse couche. Par une toile d'araignée ! Oui,
tout crûment. Une jolie toile finement ciselée
qu'une bestiole qui avait envie de tisser a
tendue d'un mur à l'autre du vestibule.

Je me tourne vers le Gros et la lui désigne.

— Vise un peu, bonhomme. On fait chou
blanc.

— A cause ?

— Ben, ça équivaut à des scellés, quoi !
Personne n'est entré ici aujourd'hui. Aussi
bête que je te le dis.

— Faut voir ! dit-il.

— Vois, moi je vais voir ailleurs.

Je ressors et vais carillonner à la maison
voisine, une coquette isba recouverte
d'ardoise. C'est la demeure d'un architecte.

Je ne sais pas s'il sait tirer des plans sur la Comète, en tout cas il sait fabriquer une belle famille. Une demi-douzaine de chiares batifolent dans le jardin (in english, toujours the garden). C'est à eux que je m'adresse.

— Dites donc, les enfants, vous connaissez M. Désacusaix, votre voisin ?

Cinq me répondent que oui. Le sixième s'abstient car il n'a que trois mois.

— Vous ne savez pas s'il est venu ici ce matin ?

Quatre m'assurent que non. Le sixième s'abstient toujours pour la même raison, et le cinquième parce qu'il vient d'attaquer une tartine de confiture.

— Vous êtes sûrs ?

Ils le sont. Ils s'amusent depuis huit heures du matin. Et personne n'est venu à côté.

Je rabats vers le Gros.

Naturellement il explore la cave et, ayant déjà l'habitude de ces visites extra-légales, s'apprête à déboucher une boutanche de Corton 1947.

— Viens, Gros, fais-je. On s'est gouré d'aiguillage. C'est pour cela qu'il était aussi sûr de lui, le bavard. J'ai voulu le bluffer en lui disant que le cadavre de Mme Coras se trouvait ici. Au lieu de l'abattre, ça lui a donné du mordant.

Il exulte en enfouissant délibérément le Corton dans sa poche admirablement extensible.

— Je sentais que tu avais envoyé le bouchon trop loin, Sans-A., qu'est-ce que je t'ai dit en venant, hmm ?

— C'est vrai. Maintenant, je me suis fait à l'idée que tu étais le génie du siècle.

— Alors on rentre ?

— En passant par l'Isle Adam !

— De quoi !

— J'adore faire le grand tour.

— Qu'est-ce que tu manigances encore !

— T'occupe pas.

-:-

Le soir descend en culotte de velours lorsque je stoppe à Montfort-l'Amaury. Nous avons bien roulé et je suis vanné. C'est un vrai bagne que ce métier, je vous le dis. N'achetez jamais à vos lardons une panoplie de matuche, ça risquerait de leur cloquer des complexes. Ils bicheraient la vocation. Et vous vous voyez, père ou mère de flic ?

Je retrouve la casba telle que je l'ai laissée la nuit dernière, avec, toutefois, un détail différent. Ce détail, c'est le cadavre de Geneviève qui gît en travers du tapis, devant la cheminée. Elle a une praline dans la tempe et le revolver, un 7,65 est encore dans sa main droite.

— M... ! dit le Gros, en utilisant poliment un point de suspension après le « M », comment que t'as su qu'elle était là ?

— Le rêve, quand on tue quelqu'un, c'est de le « suicider », Gros. Seulement, c'est le genre de truc qu'on ne peut pas faire n'importe où. Une maison tranquille convient parfaitement à cette besogne. Il ne pouvait pas la tuer dans son appartement de Paris puisqu'il savait que nous la recherchions. Alors il l'a amenée ici !

— T'es certain qu'elle s'est pas envoyée dehors elle-même ? objecte le bouffi.

— Elle serait venue ici comment ? A pied ?

— Elle a pu prendre un taxi ou...

Il se tait.

— Vise !

Un feuillet de papier est en évidence sur la cheminée. Il m'est adressé. Je lis :

« *Monsieur le commissaire San-Antonio,*
   « *Pardonnez mes folies de la nuit. J'ai
menti. Je préfère disparaître...*
                        Geneviève C... »

— Tu vois qu'elle s'est bel et bien suici-
dée ! triomphe le Gros.

Je me garde bien de lui répondre car je ne
disperse pas mon attention dans les cas
graves. Cette attention est exclusivement
consacrée à l'étude de la lettre. Ne connais-
sant pas l'écriture de Geneviève Coras, je ne
puis déterminer s'il s'agit ou non d'un faux.
Ce que je sais, par contre. c'est que ceci a été
écrit sur du papier vergé, au moyen d'un
stylo empli d'encre verte. Je me mets à foui-
nasser dans la casba ; et je ne trouve ni
papier vergé, ni stylographe, ni encre verte.

— Bon, préviens les services compétents
et filons ! lancé-je à mon valeureux compa-
pnon.

Le Gros ne répond pas. Un ronflement n'a
jamais été considéré comme un acquiesce-
ment valable, n'est-il pas vrai ?

Il s'est endormi auprès du cadavre, et rêve
si j'en crois les bruits qu'il émet, aux vingt-
quatre heures du Mans.

-:-

Alban Désacusaix s'est forgé une défense pendant que je le laissais mariner dans la volière. Une défense qu'il croit d'éléphant, mais que je déchire comme une défense d'afficher.

— Alors, commissaire, satisfait de ces investigations ?

— Très satisfait, maître.

— Vous avez découvert ce que vous cherchiez ?

— La preuve...

Je lui colle sous le pif un mandat d'amener en bon uniforme, comme dit Béru, fraîchement rempli par le juge d'instruction. Alors là, si vous n'avez jamais vu d'Opéra de Verdi, vous allez voir mon client !

— Que... quoi... Vous m'arrêtez ?

— Sous l'inculpation de meurtre, parfaitement, et aussi de tentative de meurtre. Meurtre sur la personne de Geneviève Coras, tentative de meurtre sur celle de Gilbert Messonier. Et pour ce dernier, j'entends par tentative, celle que vous avez perpétrée ce matin en profitant de son inconscience pour lui cisailler les poignets, non de celle consti-

tuée par la façon dont vous l'avez laissé
condamner à mort en le sachant innocent !

— Innocent, lui !

Il a encore la force de ricaner, le blablateur
diplômé ! Alors je n'y tiens plus. La fatigue,
les nerfs, l'occasion, l'herbe tendre et
quelques diables aussi, me poussant, je lui
file mes empreintes digitales sur le portrait
Les cinq à la fois.

Vlan !

Ça lui stoppe l'hilarité.

— Suffit, mon salaud ! Tu vas te mettre à
table, sinon je t'annonce une séance comme
tu n'en as jamais imaginée, même au plus fort
de tes cauchemars.

Les intellectuels redoutent les coups ! S'ils
ne se dégonflent pas pour un oui, ils se débal-
lonnent toujours pour un gnon.

CHAPITRE XX

— Il est lucide, mais ne l'interrogez pas trop longuement, recommande le toubib.

Je m'approche de Messonier. Le pauvre bougre est exsangue dans son lit. Je fais signe au planton de quitter la chambre, car je désire demeurer seul avec mon gars. L'agent hésite, mais il obéit. Il se dit qu'après tout, si j'ai envie de finir le condamné, ça me regarde.

— Je sais tout, Gilbert, fais-je en m'asseyant à son chevet.

— Comment ?

— J'ai tout découvert, suivant la promesse que je vous ai faite hier dans votre cellule. Et pour vous le prouver, je résume...

« Vous n'étiez pas l'amant de Geneviève

Coras, mais seulement son fournisseur de drogue. Son véritable amant, c'était Alban Désacusaix, qui devint par la suite votre avocat. Le trop fameux samedi des meurtres, Geneviève est allée à Neauphle chercher sa drogue. Pendant qu'elle se trouvait en votre compagnie, un homme est arrivé chez vous, votre pourvoyeur, je suppose. Vous avez eu une discussion avec ce type et l'avez tué. lGeneviève s'est affolée. Elle a eu peur du scandale. Elle a alors téléphoné à son amant, puisqu'il était avocat, afin de lui demander conseil. Désacusaix lui a dit de rentrer chez elle, et à vous, il vous a recommandé de ne rien faire. D'après lui, il fallait laisser l'homme dans la cave où il gisait. Vous deviez emmener l'auto de votre victime loin de chez vous, sur la route de Lille, revenir chercher votre propre auto et rentrer à Paris à votre domicile. Geneviève et vous avez obéi. Désacusaix est un homme sans scrupule qui vivotait à l'époque. Son cabinet ne marchait pas.

« Avocat sans causes, il était alors traqué par ses fournisseurs. Comprenant le parti qu'il pouvait tirer de la situation, il s'est rendu chez le mari de Geneviève Coras afin de le faire chanter. Sa femme impliquée dans une affaire de meurtre et de drogue, c'était la fin du diamantaire. Moyennant la forte somme, le cher maître lui a proposé d'arranger le coup. Seulement Coras n'était pas une lavasse, de plus il était, aux dires de sa domestique, très jaloux. Il s'est emporté, a accusé l'autre de chantage. Bref, Désacusaix a perdu la tête et a fracassé celle de son antagoniste, puis celle du père Coras qui radinait à la rescousse... Vous me suivez ? »

— Oh ! oui, gémit Messonier. Est-ce possible ? Maître Désacusaix... faire une chose pareille !

— Il a avoué

— Seigneur !

Je continue :

— Ses meurtres commis, il s'est dit qu'il pouvait en tirer bénéfice. Le coffre du diamantaire était ouvert, il s'est servi. C'est après que l'idée machiavélique de faire retomber ça sur vous lui est venue. Il s'est rendu à votre domicile et y a caché des diamants. Un coup de fil anonyme le lendemain, pour mettre la police sur votre piste, et le tour était joué. Il savait, et pour cause, que

vous n'aviez pas d'alibi. Si : en fait d'alibi un
autre meurtre ! Le plus fort, c'est qu'il s'est
présenté, dès votre arrestation, comme étant
votre avocat. Et vous, bonne âme, vous avez
cru que c'était Geneviève qui vous l'envoyait.
La pauvre femme n'a rien fait pour vous, car
elle pensait que vous étiez allé tuer son mari
pour vous procurer de quoi fuir. Elle s'est dit
que vous n'en étiez pas à un meurtre près.

« Quant à Désacusaix, il vous a fait adop-
ter le système des aveux complets. Il vous a
laissé croire que vous aviez intérêt à répondre
d'un crime crapuleux plutôt que d'un crime
perpétré dans des circonstances mystérieuses
sur la personne d'un trafiquant de drogue...
Bonne pomme, vous avez marché. Lui, pour
vous sauver la mise, a fait disparaître le
cadavre de votre victime à vous ! Ensuite,
devant une telle preuve de dévouement, vous
n'avez plus pu revenir sur vos déclarations.
Vous n'êtes pas fils d'officier pour rien ; le
sens de l'honneur, c'est coriace. L'avocat a
découpé le corps de votre type, l'a enfoui
dans la fosse à mazout. Puis il a détraqué la
canalisation. Il a remplacé la porte de la
chaudière par une porte normale, arraché les
briques réfractaires et apporté du charbon.

« Savez-vous pourquoi ? Parce qu'il pensait au retour de Vermi-Fugelune. Il ne voulait pas qu'on découvre ce cadavre avant que vous ne fussiez guillotiné. Vous y êtes ? Or, si votre copain l'acteur était revenu plus tôt, s'il avait voulu faire du feu dans sa maison de campagne, il aurait fait venir un spécialiste pour arranger la canalisation et on aurait découvert le crime. Il fallait qu'il puisse se chauffer, le cas échéant. Gagner du temps... Ah ! il a compté les jours en attendant votre exécution, Désacusaix, et vous pouvez être certain qu'il n'a pas plaidé votre cause avec fougue auprès du Président de la République ! »

— C'est épouvantable ! murmure le blessé.

— Oui, j'avoue n'avoir pas rencontré de meurtrier aussi sadique depuis belle lurette. Pour terminer, Geneviève Coras a eu des doutes. L'attitude de son amant, la brusque aisance de celui-ci, tout cela l'a troublée. Lorsque Désacusaix lui a dit que votre exécution était pour aujourd'hui, le remords a été le plus fort, elle a voulu vous sauver coûte que coûte et elle est venue me trouver.

« J'ai mordu à l'hameçon. Seulement, lorsque mes premières investigations m'ont conduit à Neauphle, elle a eu peur. Elle s'est dit que j'allais découvrir le cadavre là-bas, et la compromettre elle sans vous sauver, alors elle a perdu la tête. Au petit matin, elle est allée chercher sa voiture qui contenait un revolver. Son plan : obtenir les aveux de Désacusaix et l'abattre. Elle l'a trouvé à son domicile. L'avocat l'a calmée, lui a dit que votre exécution avait été ajournée et qu'elle devait se cacher. Auparavant, il était de bonne politique de m'écrire un mot pour essayer de m'amadouer. Il lui a dicté une brève lettre qui pouvait passer pour un message de désespérée sur le point d'en finir. Pour partir en voyage, il faut des effets.

« Comme elle ne pouvait pas retourner à son domicile parisien, qu'il savait surveillé, il l'a décidée à aller faire une valise à Montfort. Une fois là-bas il lui a logé une balle dans la tête et a mis la lettre d'adieu en vue. *Seulement cet idiot n'a pas pensé qu'elle avait été écrite dans son bureau à lui, avec son propre stylo, sur du papier dont nous avons retrouvé un bloc dans l'un de ses tiroirs.*

« Auparavant, il était venu prendre de vos nouvelles ici. En tant que votre avocat, il en avait le droit. Vous étiez sous l'effet des anesthésiques. Il vous a ouvert les veines du poignet.

« Ainsi, ayant supprimé les deux seuls témoins gênants, il était à l'abri définitivement. Il n'avait oublié qu'une chose : le commissaire San-Antonio ! »

Je m'arrête, essoufflé, la gorge sèche. Vraiment au bout du rouleau.

Le blessé ne dit rien. Il assimile tout ce que je viens de lui déballer. Le médecin paraît.

— C'est assez pour aujourd'hui, commissaire.

— J'arrive, docteur.

Je me lève, mais avant de sortir je chuchote à l'oreille de Messonier.

— Pour la première fois de ma carrière et pour le plus grand bien de celle-ci, je vais faire une entorse à la vérité. A Neauphle, c'est Geneviève Coras qui a tiré. L'homme était un maître chanteur. Elle m'a fait des aveux avant de m'assommer, vous pigez ? Dites comme moi. J'estime que vous avez assez payé comme ça. Et puis vous devez bien comprendre que, vis-à-vis de mes supérieurs, mon rodéo de la prison était destiné à sauver un innocent, pas un coupable ! Vu ?

Il bat des cils.

— Merci, San-Antonio.

— De rien, fais-je, tout le plaisir a été pour moi !

CONCLUSION

J'arrive chez nous en marmelade. Je tremble sur mes cannes et je titube. Cris de ma brave Félicie !

— Antoine ! Mon grand ! Je me mourais d'anxiété ! Sans nouvelles de toi depuis hier matin, Grand Dieu, que t'est-il arrivé ?

— Rien, dis-je, une enquête urgente.

— Tu n'es pas malade ?

— Non, je n'ai que sommeil. Ecoute, M'man, tu vas mettre le téléphone aux abonnés absents. Et si on sonne, tu ne réponds pas. Je ne suis là que pour toi. Tu entends, M'man : que pour toi, et encore à condition que tu aies un motif valable !

Tel que je me connais, je vais en écraser pendant quinze plombes.

Ecoutez-moi bien, bande de navetons, le premier qui me réveille, je lui fais bouffer ma chemise sans sel !

FIN

ACHEVÉ D'IMPRIMER LE
25 NOVEMBRE 1974 SUR LES
PRESSES DE L'IMPRIMERIE
BUSSIÈRE, SAINT-AMAND (CHER)

— Nº d'impression : 1770 —
Dépôt légal : 3ᵉ trimestre 1973.
Imprimé en France